Student Activities Manual

¡EXPLOREMOS!

NIVEL 4

Mary Ann Blitt
College of Charleston

Margarita Casas
Linn-Benton Community College

Mary T. Copple
Kansas State University – Manhattan

CENGAGE
Learning·

Australia • Brazil • Japan • Korea • Mexico • Singapore • Spain • United Kingdom • United States

CENGAGE
Learning·

***¡Exploremos!* Nivel 4**

Student Activities Manual

Blitt | Casas | Copple

For product information and technology assistance, contact us at **Cengage Learning Customer & Sales Support, 1-800-354-9706**
For permission to use material from this text or product, submit all requests online at **www.cengage.com/permissions.**
Further permissions questions can be emailed to **permissionrequest@cengage.com.**

ISBN: 978-1-305-96978-0

Cengage Learning
20 Channel Center Street
BOSTON, MA 02210
USA

Cengage Learning is a leading provider of customized learning solutions with office locations around the globe, including Singapore, the United Kingdom, Australia, Mexico, Brazil and Japan. Locate your local office at **www.cengage.com/global.**

Cengage Learning products are represented in Canada by Nelson Education, Ltd.

To learn more about Cengage Learning Solutions, visit **www.cengage.com.**

Purchase any of our products at your local college store or at our preferred online store **www.cengagebrain.com**

Printed in the United States of America
Print Number: 01   Print Year: 2016

CONTENIDO

Puente

Repaso 1

R1 **Una familia unida** Pon las siguientes afirmaciones en orden cronológico. La primera afirmación ya está hecha.

___1___ Ana y Jorge se conocen y tienen citas.

_____ Se casan y dos años después de la boda, nace su hija Carolina.

_____ Carolina termina sus estudios en la universidad.

_____ Se enamoran y deciden ser novios.

_____ El noviazgo (*courtship*) de Jorge y Ana dura (*lasts*) un año.

_____ El matrimonio de Carolina representa un gran cambio (*change*), pero la familia queda muy unida.

_____ Carolina crece y Ana y Jorge envejecen.

_____ Carolina conoce a un hombre en su primer trabajo, se enamora y se casa.

R2 **La brecha generacional** El abuelo de María habla con ella acerca de algo que pasó anoche. Completa el párrafo con las formas apropiadas del pretérito y del imperfecto de los verbos entre paréntesis.

Cuando yo (1) _____ (ser) adolescente, (2) _____ (pelear) mucho con mi papá. Él

siempre (3) _____ (decir) que los jóvenes no (4) _____ (respetar) a los adultos. Creo que

esta brecha generacional no ha cambiado. Anoche yo te (5) _____ (ver) hablando con tu mamá.

Ella (6) _____ (estar) enojada porque tú no le habías dicho que (7) _____ (ir) a salir.

Ella no (8) _____ (entender) que tú necesitas tu independencia. La verdad es que nosotros dos

(9) _____ (estar) preocupados porque (10) _____ (llover) mucho y

(11) _____ (ser) tarde. ¡Qué alivio (*relief*) cuando tú (12) _____ (volver)! Pero

necesitas entender que tu madre te (13) _____ (regañar *to scold*) porque es difícil aceptar

que su hija ya es grande. Pero no te preocupes. Ella y yo lo (14) _____ (discutir) mucho esta

mañana y ahora entiende.

R3 **Reacciones** Julia habla con una prima de las reacciones de su familia con respeto a diferentes situaciones. Completa las oraciones con el pretérito de los verbos de la lista.

aburrirse   **enojarse**   **irse**   **ponerse**   **quejarse**

1. Mis padres _____ cuando rompí una lámpara en la sala.

2. Yo _____ triste cuando aprendí que mi abuela estaba enferma.

3. Mi hermana _____ por una hora porque mi mamá no le permitía usar el coche.

4. Mi hermana y yo _____ porque todos los adultos hablaban política.

5. ¿Y tú? ¿Por qué _____ tan rápido ayer?

R4 **Las relaciones personales** Usa los verbos recíprocos en el presente para explicar lo que hacen las siguientes personas.

    Modelo   los amigos – llevarse bien
                Los amigos se llevan bien.

1. los enamorados – besarse

_____

2. mi novia y yo – comprometerse

_____

3. los señores Rangel – divorciarse

_____

Repaso 2

R5 **Las tradiciones** Lee las siguientes afirmaciones y decide si son ciertas o falsas.

	Cierto	Falso
1. En el Día de los Muertos se conmemoran los antepasados.	☐	☐
2. El nacionalismo es un sentimiento que se expresa mucho durante el Carnaval.	☐	☐
3. Las artesanías de una cultura forman parte de su folclor.	☐	☐
4. Los valores de una cultura se expresan en sus tradiciones.	☐	☐
5. El asado y los gauchos se asocian con la cultura mexicana.	☐	☐

R6 **El desfile** Los amigos de Marcos le preguntan sobre sus planes para asistir a un desfile. Completa las respuestas de Marcos con el mandato apropiado (la forma de **tú** o **ustedes**). **¡OJO!** Algunas respuestas también requieren un objeto directo o indirecto.

> **Modelo** ALICIA: ¿Llevo mi cámara?
> MARCOS: Sí, *llévala.*

1. ALICIA: ¿Vamos los muchachos y yo al desfile?

   MARCOS: ¡Qué buena idea! Sí, _____.

2. DAVID: ¿Me disfrazo?

   MARCOS: Sí, _____.

3. ALICIA: ¿Como algo antes del desfile?

   MARCOS: No, no _____ nada. Vamos a comer allá.

4. DAVID Y ROBERTO: ¿Sacamos dinero antes de venir a tu casa?

   MARCOS: Sí, _____ $25.

5. DAVID Y ROBERTO: ¿A qué hora venimos aquí?

   MARCOS: _____ a las cinco.

6. ALICIA: ¿Y si llego un poco tarde?

   MARCOS: ¡No _____ tarde, Alicia! ¡No queremos perder nada!

R7 **Hagamos esto** Completa las oraciones con el mandato de **nosotros** de los verbos entre paréntesis.

1. _____ (Recordar) a nuestros antepasados.

2. No _____ (perder) nuestras costumbres.

3. _____ (Celebrar) nuestros logros (*achievements*).

4. _____ (Respetar) las diferencias culturales.

5. _____ (Sacrificarse) por una causa importante.

R8 **El Día de Acción de Gracias** Completa lo que dice Marta sobre el Día de Acción de Gracias con las formas correctas de **hay, ser** y **estar**.

El Día de Acción de Gracias _____ (1) la celebración favorita de mi familia. Nosotros

siempre _____ (2) felices en este día porque _____ (3) todos juntos (*together*).

El gran almuerzo siempre _____ (4) en la casa de mis abuelos. ¡Y qué almuerzo!

¡_____ (5) tantos platos deliciosos! Todos _____ (6) hechos con amor

por mi abuela y mi mamá. Algunos de los platos _____ (7) de origen mexicano, pero

_____ (8) otros que _____ (9) estadounidenses. ¡_____ (10) la

comida más rica de todo el año!

Redacción

On a separate piece of paper, write an email to a friend describing a real or imaginary family celebration you attended in the past.

Paso 1 Decide on the family celebration you wish to describe. Then brainstorm answers to the following questions: When and where was the celebration? Which relatives were there? What did you do? What family or cultural traditions did you follow?

Paso 2 Write your email using the information you brainstormed in **Paso 1**. Use the preterite and imperfect to describe the celebration, pronominal and reciprocal verbs where appropriate, and **haber, ser,** and **estar.**

Paso 3 Edit your email.

> 1. Have you included all of the required elements listed in **Paso 1**?
> 2. Have you used the preterite and imperfect correctly?
> 3. Have you used pronominal and reciprocal verbs correctly?
> 4. Have you used **haber, ser,** and **estar** correctly?
> 5. Are there any spelling errors?

Repaso 3

R9 **¿Recomendables o no?** Deciden si los siguientes consejos son (**a**) recomendables o (**b**) no recomendables.

_____ 1. Si necesitas engordar, debes comer una dieta rica en calorías pero equilibrada.

_____ 2. Es buena idea limitar el sodio y el azúcar que comes.

_____ 3. Debes freír la carne magra porque es importante consumir mucha grasa.

_____ 4. Es importante comer muchas verduras porque tienen fibra y vitaminas.

_____ 5. Es buena idea comer dulces o algo con muchos carbohidratos para la merienda.

_____ 6. Hacer ejercicio es tan importante que ponerse a dieta si quieres adelgazar.

R10 **Opiniones** Andrés habla con su prima de lo que cree con respecto a la comida. Completa las oraciones con las formas correctas del indicativo o del subjuntivo de los verbos entre paréntesis.

1. Es buena idea _____ (eliminar) la grasa de la dieta.

2. Es una lástima que los mariscos _____ (tener) tanto colesterol.

3. Es probable que todos nosotros _____ (engordarse) más cada año.

4. Es importante no _____ (consumir) comida chatarra.

5. Es recomendable que yo _____ (evitar) el azúcar.

6. No es necesario que ustedes _____ (necesitar) limitar calorías. Ya tienen una dieta sana.

R11 **Consejos de la nutricionista** Escribe oraciones completas con los elementos dados usando las formas correctas del indicativo y del subjuntivo según corresponda.

Modelo ¿? qué / recomendar / la nutricionista / nosotros / cambiar
¿Qué recomienda la nutricionista que nosotros cambiemos?

1. nosotros / pedir / la nutricionista / ayudarnos a / seguir una dieta sana

_____

2. la nutricionista / recomendar / yo / evitar comidas con mucha grasa

_____

3. ella / querer / mis hermanos / consumir / más fibra

_____

4. siguiendo sus consejos, mis padres / prohibir / mis hermanos y yo / comer muchos dulces

_____

5. ¡! ojalá / nosotros / poder / seguir todos los consejos

_____

R12 **Disputa** Carla y Luisa no están de acuerdo sobre lo que deben pedir en un café. Completa su conversación con la forma correcta del subjuntivo o el infinitivo de los verbos entre paréntesis.

CARLA: Ojalá (1) _____ (haber) pastel de chocolate en el menú.

LUISA: Te sugiero que no (2) _____ (pedir) el pastel. Es mejor no (3) _____ (consumir) demasiadas calorías.

CARLA: Sí, pero insisto (4) _____ (comer) el pastel de chocolate de este café: ¡es delicioso!

LUISA: Recomiendo que nosotras (5) _____ (pedir) la ensalada de frutas.

CARLA: No quiero siempre (6) _____ (estar) de dieta. Está bien que nosotros (7) _____ (disfrutar) de un postre de vez en cuando (*from time to time*). Es la cantidad que se debe limitar.

LUISA: Sí, es importante que nosotras (8) _____ (ir) a limitar la cantidad.

Repaso 4

R13 **Acciones políticas** Selecciona la respuesta más lógica a cada pregunta.

_____ 1. ¿Qué hizo para hacerse presidente?

_____ 2. ¿Por qué es un héroe?

_____ 3. ¿Qué hizo el ejército?

_____ 4. ¿Cómo se mejoró la economía?

_____ 5. ¿Por qué el presidente perdió la confianza de la gente?

a. No luchó contra la injusticia.

b. Se inició una política de desarrollo.

c. Defendió el país.

d. Luchó por los derechos humanos.

e. Venció a los otros candidatos.

R14 **Mi familia** Diego habla con un amigo acerca de su familia. Completa las oraciones con la forma correcta del subjuntivo o del indicativo de los verbos entre paréntesis.

1. Me alegro que mis padres me _____ (dar) mucha libertad.

2. Me molesta que mi hermana no _____ (creer) en mí.

3. Mis profesores creen que yo no _____ (estudiar) suficiente.

4. Mis padres no dudan que nosotros _____ (estar) creciendo.

5. Me parece que mi familia _____ (estar) unida.

6. No dudo que no haya nada que tú, mi mejor amigo, no _____ (poder) hacer.

7. A mi hermano y a mí no nos gusta que los veranos _____ (acabarse).

8. A mis padres les emociona que yo _____ (asistir) algún día a una escuela de arte.

9. Mis abuelos están tristes que yo _____ (irse) de la casa algún día.

10. Es obvio que nosotros _____ (quererse) mucho.

R15 **Temas sociales** Selecciona la forma correcta del verbo para completar las siguientes afirmaciones.

1. Necesitamos más personas que (se dedican / se dediquen) al servicio de otros.

2. ¿Hay algún líder que (sabe / sepa) dirigir con compasión?

3. Desgraciadamente, hay muchas personas que (son / sean) corruptas.

4. No hay nada que nosotros (podemos / podamos) hacer para cambiar los resultados de la elección.

5. Tenemos gente en nuestra comunidad que siempre (está / esté) dispuesta a ayudar a los demás (others).

6. La gente busca líderes que (tienen / tengan) valores.

Repaso 5

R16 **¿Opinión o hecho?** Decide si cada afirmación a continuación es **(a) una opinión** o **(b) un hecho.**

_____ 1. La globalización es positiva para la economía.

_____ 2. Los movimientos sociales son importantes para cambiar la sociedad.

_____ 3. Normalmente, la guerra es un conflicto entre dos o más países.

_____ 4. Se usan las redes sociales para conectarse con amigos y promover *(to promote)* una causa.

_____ 5. El feminismo es necesario porque todavía vivimos en una sociedad no igualitaria.

_____ 6. Ejercer el voto es involucrarse en la democracia.

R17 **Viaje de voluntariado** Lupe va a hacer un viaje de voluntariado a Guatemala. Completa las oraciones con los adverbios de la lista. Hay dos posibilidades en algunos casos, pero usa cada adverbio solo una vez.

a fin de que	antes de	cuando	para que	ya que
a menos que	aunque	mientras que	tan pronto como	

1. Vamos a Guatemala _____ no haya suficiente dinero para pagar el proyecto.

2. Vamos a pedir donaciones _____ tengamos suficiente dinero.

3. _____ ir, tengo que informarme más sobre la cultura local.

4. Quiero ir _____ sea peligroso porque es un proyecto importante.

5. _____ hay Internet, voy a llevar mi computadora.

6. _____ llegue te mando un correo electrónico _____ no te preocupes.

7. Y seguiré mandándolos _____ pueda.

8. _____ regrese, te contaré todas mis aventuras.

R18 **Respuestas negativas** Nada bueno pasa hoy. Completa las respuestas a las preguntas con la forma correcta del imperfecto del subjuntivo de los verbos subrayados.

1. ¿<u>Firmaste</u> la petición?

   No. Nadie me pidió que _____ la petición.

2. ¿<u>Hizo</u> esta organización algo para el medio ambiente?

   No. Fue triste que nunca _____ nada para el medio ambiente.

3. ¿<u>Ejercieron</u> esas personas su derecho de votar?

   Me sorprendió que no _____ su derecho de votar.

4. ¿<u>Consiguieron</u> ustedes lo que querían con la huelga?

   No, fue imposible que nosotros _____ nada.

5. ¿<u>Te involucraste</u> en la marcha?

   Lamenté mucho que no, _____.

R19 **Buenos actos** Amalia y José hablan del grupo Médicos Sin Fronteras. Usa el imperfecto del subjuntivo de los verbos entre paréntesis para completar la conversación.

AMALIA: En la reunión del Club no había nadie que (1) _____ (saber) sobre el grupo Médicos Sin Fronteras.

JOSÉ: Yo sí sé sobre el grupo porque ellos le pidieron a mi papá que mi papá (2) _____ (trabajar) con ellos como escritor de reportajes científicos.

AMALIA: ¿Te sorprendió que tu papá (3) _____ (escribir) documentos para ellos?

JOSÉ: No, pero lo increíble fue que ellos querían que yo también (4) _____ (involucrarse) en sus proyectos también.

AMALIA: ¿De veras? Bueno, yo nunca dudé que tú (5) _____ (ser) voluntario.

JOSÉ: Así es. Mi familia y yo hicimos mucho para que el público (6) _____ (aprender) sobre sus actividades.

Redacción

What are your biggest concerns for the world's future? On a separate piece of paper, write a short essay about one issue that concerns you.

Paso 1 Choose an issue that concerns you. Then answer these questions: Why is this issue important to you? What are your hopes and fears regarding this issue? How do you think things will turn out?

Paso 2 Write your essay using the information you brainstormed in **Paso 1**. Begin by stating your concern and why this issue is important to you. Next, present your fears and your hopes. Finally, draw conclusions about what you think will happen. When appropriate, use the subjunctive with impersonal expressions; with desire, doubt, and emotion; and with adjectives and adverbs.

Paso 3 Edit your essay.

    1. Have you included all of the required elements listed in **Paso 1**?

    2. Have you used the subjunctive and the indicative correctly, both past and present tenses as appropriate?

    3. Are there any spelling errors?

CAPÍTULO 1 Entretenimiento... ¡de película!

Practica el vocabulario

1.1 Una noche divertida Completa las oraciones con palabras lógicas de la lista.

aguafiestas	crítica	estreno	intermedio	público	taquilla
conmover	efectos especiales	golosinas	protagonistas	salón de baile	

Anoche invité a mi novio al cine. Fuimos al (1) _____ de la nueva película de

Guillermo del Toro. Durante el (2) _____ mi novio compró unas

(3) _____ en la tienda del cine mientras yo iba al baño. Fue una película

emocionante y los (4) _____ eran buenísimos. La interpretación de los

(5) _____ también fue excelente. Al (6) _____ le gustó

tanto la película que aplaudió al final. Después del cine, mi novio y yo fuimos a un

(7) _____ porque nos encanta bailar salsa. ¡Nos divertimos mucho!

1.2 La mejor palabra Indica la mejor palabra para completar las oraciones.

1. Voy a llevar a mi hijo de cinco años a una película (de horror / de animación / de suspenso).

2. Hay una (función / fotografía / cartelera) de esa película a las diez.

3. La película fue un (éxito / fracaso / chiste) y ganó varios premios.

4. El (estreno / final / medio tiempo) de la película fue uno de los eventos más celebrados en Hollywood el año pasado.

5. No queremos invitar a Luis a la fiesta; es un (aficionado / director / aguafiestas).

6. Ricardo compró las entradas. Las podemos recoger en la (taquilla / butaca / actuación).

7. Me gusta llegar al cine temprano para comprar (bandas sonoras / palomitas / fotografías).

8. ¡Esta película es fascinante! Tiene un (partido / final / premio) sorprendente.

1.3 **Relaciones** Empareja cada palabra de la primera columna con una palabra de la segunda que esté relacionada.

1. _____ el cantante   **a.** el acto

2. _____ la escena   **b.** el éxito

3. _____ el comediante   **c.** la balada

4. _____ el premio   **d.** el payaso

5. _____ el circo   **e.** el chiste

1.4 **No pertenece.** Indica la palabra de cada lista que no pertenece (belongs).

1. la banda sonora	la escena	la canción	la balada
2. gracioso	la comediante	el chiste	el fracaso
3. la trama	el payaso	los efectos especiales	la pantalla
4. el protagonista	la taquilla	el aguafiestas	el anfitrión
5. el partido	la butaca	el medio tiempo	el aficionado
6. emocionante	de ciencia ficción	documental	de misterio

1.5 **Recomendaciones** Un amigo te pide consejos sobre qué DVD regalarles en Navidad a varios amigos mutuos. Sugiérele un género de película para cada amigo según sus gustos. No repitas ninguna respuesta.

animada	cómica	de ciencia ficción	de suspenso	dramática
clásica	de aventuras	de horror	documental	romántica

1. A Eugenia le encantan las historias de amor. Cómprale una película _____.

2. A Gabriela le fascinan los monstruos y los vampiros. Sugiero que le des una película _____.

3. A Roberto le encanta no saber lo que va a pasar. Cómprale una película _____.

4. A Luisa y a Alberto les fascina la historia. Recomiendo que les compres una película _____.

5. Maricela siempre lee libros sobre los extraterrestres. Cómprale una película _____.

6. A Marcos le encantan las historias tristes pero realistas. Sugiero que le des una película _____.

7. A Manuel y a Amanda les gustan las historias con mucha acción. Recomiendo que les compres una película

_____.

8. A tu hermano le interesa la literatura del siglo XIX. Sugiero que le compres una película _____.

1.6 **Opiniones personales** Completa las oraciones con tus opiniones personales.

1. Mis películas favoritas son _____

_____.

2. Lo mejor de los circos que _____

_____.

3. Las películas fracasan cuando _____

_____.

4. El cine es un entretenimiento importante porque _____

_____.

Practica la gramática 1

The past perfect

1.7 **Yo ya...** Yolanda tiene un amigo presumido *(boastful)* que siempre dice que él ya había hecho todo antes. Completa sus respuestas con el pluscuamperfecto. **¡OJO** con el uso de los pronombres de objetos directos!

Modelo YOLANDA: Ayer vi la nueva película de Almodóvar.
AMIGO: Yo ya la *había visto*.

1. YOLANDA: En la fiesta del sábado conocí a la artista llamada Charo.

AMIGO: Yo ya _____.

2. YOLANDA: Mi esposo y yo nos enteramos *(found out)* de que van a filmar una película aquí.

AMIGO: Yo ya _____.

3. YOLANDA: Hoy mi hermana y yo compramos entradas para el estreno de la película nueva de Quentin Tarantino.

AMIGO: Yo ya _____.

4. YOLANDA: Decidí dejar de comer palomitas y golosinas para no engordar.

AMIGO: Yo ya _____.

5. YOLANDA: Conseguí el autógrafo del protagonista de la nueva película de Guillermo del Toro.

AMIGO: Yo ya _____.

1.8 **¿Qué había ocurrido?** Combina los eventos en una oración, siguiendo el modelo.

Modelo   7:25 P.M.: Mi novia se comió todas las palomitas de maíz. 7:30 P.M.: La película comenzó.
Cuando la película comenzó, mi novia ya se había comido todas las palomitas de maíz.

1. 6:55 P.M.: La película comenzó. 7:00 P.M.: Llegamos a la sala de cine. _____

_____

2. 10:00 P.M.: La película terminó. 10:30 P.M.: Me acosté. _____

_____

3. 5:00 P.M.: El dependiente de la taquilla vendió la última entrada para el estreno. 5:05 P.M.: Finalmente

llegamos a la taquilla. _____

_____

4. 6:00 P.M.: El partido de fútbol empezó. 6:15 P.M.: Encendimos la televisión. _____

_____

5. 8:00 P.M.: Dieron el primer premio. 8:05 P.M.: Encontré mi asiento. _____

_____

1.9 **Una entrevista** Un periodista entrevista a "La Leona", una actriz muy famosa de telenovelas.
Completa con el pluscuamperfecto las preguntas y respuestas de la entrevista.

PERIODISTA: ¿Es su primera visita a Ecuador?

LEONA: No, yo ya (1) _____ (venir) muchas veces antes de ser famosa.

PERIODISTA: Sabemos que usted cantó una canción en la banda sonora de su más reciente telenovela. ¿Usted

ya (2) _____ (cantar) antes?

LEONA: Bueno, sí, esta fue la primera vez que canté para una telenovela, pero antes yo ya

(3) _____ (escribir) canciones para otros cantantes.

PERIODISTA: Antes de trabajar en esta telenovela, ¿(4) _____ (actuar) en otras obras?

LEONA: Sí, yo (5) _____ (trabajar) en varias películas, pero mi éxito principal viene

del papel que hago en la telenovela.

PERIODISTA: ¿Siempre quiso usted hacerse actriz?

LEONA: No. De niña soñaba con hacerme maestra, pero aún no (6) _____ (empezar)

mis estudios universitarios para hacerme maestra cuando conseguí mi primer trabajo de actriz.

PERIODISTA: ¿Tiene usted algún proyecto nuevo?

LEONA: Sí. Antes de venir aquí, yo ya (7) _____ (aceptar) un papel en una película

nueva que va a salir el año que viene. Estoy muy emocionada.

1.10 **¿Por qué?** Indica la consecuencia de cada situación y escribe los verbos entre paréntesis en la forma apropriada del pluscuamperfecto.

1. _____ Las actrices fueron despedidas.

2. _____ A nosotros nos dolió el estómago.

3. _____ La película fue un fracaso total.

4. _____ El payaso tuvo que encontrar un trabajo nuevo.

5. _____ Hubo dos intermedios durante el largometraje.

6. _____ Los comediantes no tuvieron éxito.

a. El actor principal no _____ (hacer) un buen trabajo.

b. La película _____ (durar) tres horas y media.

c. No _____ (aprender) sus líneas.

d. _____ (escribir) chistes malos.

e. El circo _____ (cerrar).

f. _____ (comer) demasiadas palomitas de maíz.

_____

1.11 **¿Qué pasó?** Iván es fanático del cine y le está comentando a un amigo lo que pasó en varias películas que vio. Completa cada oración de forma original explicando lo que había pasado.

Modelo La protagonista gritó porque *un hombre había entrado por la ventana.*

1. La policía llegó a la casa porque _____
_____.

2. La protagonista echó *(kicked out)* a su esposo de la casa porque _____
_____.

3. El criminal tuvo que ir a la prisión por el resto de su vida porque _____
_____.

4. El vampiro murió porque _____
_____.

5. El protagonista tenía miedo del extraterrestre porque _____
_____.

6. El niño terminó en el hospital porque _____
_____.

1.12 **Antes** Escribe lo que has hecho este año y lo que habías hecho antes.

Modelo   (vivir) **a.** Este año *he vivido en un apartamento.*
                 b. Antes *había vivido en una casa grande.*

1. (trabajar) **a.** Este año _____.

b. Antes _____.

2. (ir)   **a.** Este año _____.

b. Antes _____.

3. (estudiar) **a.** Este año _____.

b. Antes _____.

4. (viajar)   **a.** Este año _____.

b. Antes _____.

5. (conocer) **a.** Este año _____.

b. Antes _____.

Practica la gramática 2

The past perfect subjunctive

1.13 **Un mal día** Yara tuvo un muy mal día. Fue a un partido de fútbol y le chocaron su auto. Además su equipo perdió el juego. Cuando regresó a su casa descubrió que no tenía su cartera *(wallet)*. Completa lo que dice con el pluscuamperfecto del subjuntivo de los verbos entre paréntesis.

Ojalá la persona (1) _____ (tener) más cuidado cuando se estacionó al lado

de mi auto, o mejor todavía, ojalá yo (2) _____ (tomar) el transporte

público en vez de manejar. Ojalá mi equipo (3) _____ (jugar) mejor

y los árbitros (4) _____ (hacer) un mejor trabajo. ¡Ojalá que yo

(5) _____ (cerrar) todas las ventanas de mi casa antes de salir, y que

la policía (6) _____ (vigilar) mejor... y ojalá (7) _____

(llevar) mi cartera conmigo! Ojalá yo no (8) _____ (levantarse)... ¿hoy

es martes 13?

1.14 **La fiesta** Javier y su amigo Edmundo dieron una fiesta para celebrar su cumpleaños, pero no todo salió a la perfección. Completa su conversación con el pluscuamperfecto del subjuntivo de los verbos entre paréntesis.

Modelo   EDMUNDO: Jesús se durmió... ¡me enojó que *se hubiera dormido* en nuestra fiesta!

JAVIER: ¡Tere llegó muy tarde! La verdad, me molestó mucho que ella

(1) _____ (llegar) tarde.

EDMUNDO: Al menos Felipe trajo muchos refrescos. Me alegró mucho que él los

(2) _____ (comprar).

JAVIER: Lo peor fue cuando llegó el payaso. No me gustó para nada que él

(3) _____ (quemar *to burn*) el sofá. ¡Qué desastre!

EDMUNDO: ¡De verdad! Me alivió *(I was relieved)* mucho que Luisa (4) _____

(traer) agua justo a tiempo. Dudaba poder salvar el sofá pero, gracias a ella, solamente

necesitamos reparar una parte de él.

JAVIER: Ojalá el payaso (5) _____ (pagar) el sofá antes de irse.

EDMUNDO: Bueno, a mí me sorprendió mucho que (6) _____ (contratar) a

un payaso para la fiesta.

1.15 **El final** Nuria le está comentando a una amiga su opinión del final de varias películas. Completa sus oraciones con la forma apropiada del pluscuamperfecto del subjuntivo del verbo entre paréntesis.

1. En la película romántica me gustó que la pareja _____ (casarse) al final.

2. En la película de acción no me gustó que el criminal _____ (escaparse) al final.

3. En la película de ciencia ficción no me gustó que los extraterrestres _____ (morir) al final.

4. En la película de suspenso no me gustó que el protagonista _____ (desparecer) al final.

5. No me gustó que la película dramática no _____ (tener) un final feliz.

6. En el documental no me gustó que el director _____ (presentar) solamente un lado del asunto *(matter)*.

1.16 ¿Equivocados? Sandra y Lulú hablan de sus familias cuando ellas iban al colegio. Usa el indicativo o el subjuntivo del pluscuamperfecto de los verbos entre paréntesis para completar su conversación.

SANDRA: Cuando terminé el colegio, mis padres creían que yo (1) _____ (conseguir) "A" en todas mis clases, pero no era cierto que yo (2) _____ (obtener) buenas notas.

LULÚ: ¿Sí? Pues cuando yo obtuve el primer lugar en el concurso de ensayos *(essay contest)*, mi padre no pensaba que yo (3) _____ (ganar).

SANDRA: Antes de mi último año en el colegio, mis padres siempre nos (4) _____ (animar) a mi hermana y a mí con la escuela. Antes de empezar ese año ellos nos (5) _____ (presionar) mucho. Ojalá no (6) _____ (ser) tan estrictos con nosotras, pero cuando mi papá se enfermó, ellos dejaron de ser tan duros.

LULÚ: Recuerdo ese tiempo. Ustedes (7) _____ (pasar) por un tiempo muy duro. Pensando en todo esto, ojalá ellos nos (8) _____ (entender) mejor, pero creo que siempre es así entre los padres y sus hijos.

1.17 Conclusiones Indica la conclusión más lógica para cada oración y escribe los verbos entre paréntesis en la forma apropiada del subjuntivo o indicativo del pluscuamperfecto.

1. _____ Llegué tarde al teatro y me alegró que...

2. _____ El director se sorprendió de que...

3. _____ El actor pensaba que...

4. _____ El crítico pensó que...

5. _____ El público dudaba que...

6. _____ El productor tenía miedo de que...

a. los efectos especiales _____ (ser) mal hechos.

b. el director lo _____ (elegir) para el papel de protagonista.

c. al público no le _____ (interesar) la película.

d. no se _____ (vender) todas las entradas.

e. el final _____ (solucionar) el problema.

f. su película no _____ (recibir) ningún premio.

1.18 **Ojalá** Usa los verbos entre paréntesis para expresar lo que te hubiera gustado que sucediera *(happened)* este año y explica por qué.

Modelo   (vivir) Ojalá *hubiera vivido en una casa con jardín* porque *en la ciudad no hay muchos árboles.*

1. (tener) Ojalá _____

   porque _____.

2. (estudiar) Ojalá _____

   porque _____.

3. (comprar) Ojalá _____

   porque _____.

4. (ir) Ojalá _____

   porque _____.

5. *(elige otro verbo)* Ojalá _____

   porque _____.

Practica la gramática 3

El estilo indirecto

1.19 **Chismes** José Luis le reporta a la clase lo que decía un artículo del periódico sobre la nueva película de su director favorito. Completa las oraciones usando el estilo indirecto.

1. Lo que el artículo dice: La película es sobre la vida de Frida Kahlo.

   El reporte de José Luis: El artículo decía que _____.

2. Lo que el artículo dice: La fotografía de la película recibió un premio.

   El reporte de José Luis: El artículo decía que _____.

3. Lo que el artículo dice: Frida Kahlo tuvo una vida difícil.

   El reporte de José Luis: El artículo decía que _____.

4. Lo que el artículo dice: El esposo de Frida Kahlo fue el muralista Diego Rivera.

   El reporte de José Luis: El artículo decía que _____.

5. Lo que el artículo dice: Diego Rivera también fue activista político.

   El reporte de José Luis: El artículo decía que _____.

6. Lo que el artículo dice: El arte de Frida Kahlo es impresionante.

   El reporte de José Luis: El artículo decía que _____.

1.20 Chismoso Un reportero de espectáculos entrevistó a una cantante muy popular y ahora reporta lo que le contestó.

1. Dijo que _____ (ir) a una fiesta en su honor.

2. Mencionó que sus admiradores le _____ (pedir) que cantara en la fiesta.

3. Comentó que _____ (conocer) a un joven actor en la fiesta.

4. Dijo que le _____ (dar) un beso.

5. Mencionó que un admirador le _____ (regalar *to give a present*) un anillo de oro.

6. Dijo que sus admiradores la _____ (invitar) a otra fiesta la noche siguiente.

_____

1.21 ¡No lo oigo! Libertad está cocinando y desde la cocina no puede escuchar su programa de noticias sobre espectáculos. Su amigo Ricardo le grita lo que dicen en la televisión... ¿Qué le dice Ricardo?

Modelo   LOCUTOR: "La nueva película de Gael García Bernal es un éxito".
           RICARDO: *Dijo que la nueva película de Gael García Bernal era un éxito.*

1. LOCUTOR: "El director de la nueva película no asistió al estreno".

    RICARDO: _____

2. LOCUTOR: "Este ha sido el mejor trabajo de Gael García Bernal".

    RICARDO: _____

3. LOCUTOR: "Filmaron la película en el sureste de España".

    RICARDO: _____

4. LOCUTOR: "Esta película merece un premio".

    RICARDO: _____

5. LOCUTOR: "El final fue demasiado predecible".

    RICARDO: _____

1.22 **El productor** El productor ha dicho mucho sobre su más reciente película. Usando las palabras indicadas explica lo que les dijo a diferentes personas. **¡OJO!** Debes conjugar los verbos en la forma apropiada y añadir las otras palabras necesarias.

> **Modelo** locutor / decir / la película / tener éxito
> *Al locutor le dijo que la película había tenido éxito.*

1. actor / decir / su actuación / ser estupenda _____

2. directora / decir / encantarle / la película _____

3. cantante / decir / la banda sonora / salir bien _____

4. crítico negativo / decir / esperar / recibir evaluaciones favorables _____

5. escritora / decir / gustarle la trama _____

1.23 **La crítica** Anoche se estrenó una nueva película y los críticos hicieron comentarios. ¿Qué dijeron? Presta atención al tiempo de los verbos para determinar qué tiempo necesitas en el discurso indirecto.

1. El actor principal tiene mucho talento.

   Dijeron que el actor principal _____ mucho talento.

2. Los efectos especiales fueron increíbles.

   Dijeron que los efectos especiales _____ increíbles.

3. La escenógrafa hizo un trabajo fenomenal.

   Dijeron que la escenógrafa _____ un trabajo fenomenal.

4. La banda sonora es impresionante.

   Dijeron que la banda sonora _____ impresionante.

5. El protagonista merece un premio.

   Dijeron que el protagonista _____ un premio.

1.24 **¿Qué te han dicho?** Cuenta lo que te han dicho las personas importantes en tu vida.

> **Modelo** Un hermano: *Mi hermano me dijo que quería ser como yo.*

1. Uno de tus padres: _____

2. Un profesor: _____

3. Un buen amigo: _____

4. Un jefe: _____

5. Una persona importante en tu vida: _____

¡Hora de escribir!

1.25 **El mejor actor** A TV entertainment show would like to know who their viewers think is the best or worst actor currently performing on TV or in film. Write an email to the show in which you express your opinion.

Paso 1 Decide who you think is either the best or the worst actor. Jot down some of the reasons why you think so. Then brainstorm responses to the following questions: What are some of the TV shows or films he/she has been in? What kinds of roles does he/she often have? Has he/she won any awards?

Paso 2 Write your email to the entertainment program using the information you generated in **Paso 1.** Use the preterite, imperfect, past perfect, and past perfect subjunctive where appropriate.

_____

_____

_____

_____

_____

_____

_____

_____

_____

_____

_____

_____

_____

_____

Paso 3 Edit your email:

1. Is your email logically organized?

2. Are there any short sentences you could combine?

3. Did you use the preterite, imperfect, past perfect, and past perfect subjunctive correctly?

4. Do the verbs agree with their subjects?

5. Did you spell words correctly and use accent marks appropriately?

¡Hora de escuchar! 1

🔊 **1.26** **Vocabulario** Vas a escuchar seis definiciones. Escribe las palabras que se explican.
1-1

1. _____

2. _____

3. _____

4. _____

5. _____

6. _____

🔊 **1.27** **¡No recuerdo!** El director de la película está muy cansado y no siempre les dice cosas lógicas a sus
1-2 actores. Escucha lo que dice y decide si es lógico o ilógico.

1. lógico   ilógico

2. lógico   ilógico

3. lógico   ilógico

4. lógico   ilógico

5. lógico   ilógico

6. lógico   ilógico

🔊 **1.28** **¿En dónde están?** Vas a escuchar los comentarios de varias personas. Para cada comentario,
1-3 decide en dónde están las personas.

1. **a.** un salón de baile   **b.** un partido de fútbol   **c.** el circo

2. **a.** un parque de diversiones   **b.** el cine   **c.** una fiesta para niños

3. **a.** un partido de fútbol   **b.** el circo   **c.** una función de teatro

4. **a.** un salón de baile   **b.** el cine   **c.** un parque de diversiones

5. **a.** el circo   **b.** un partido de fútbol   **c.** una fiesta para niños

¡Hora de escuchar! 2

 1.29 **El camino al éxito** Ernesto siempre ha querido ser actor pero no ha sido fácil. Escucha mientras Ernesto describe sus experiencias e indica las actividades que hizo con una X.

El verano pasado Ernesto recibió un papel en una película. Antes de recibirlo, él…

1. _____ se había mudado.

2. _____ había trabajado en un restaurante.

3. _____ había vendido entradas en un teatro.

4. _____ había estudiado actuación.

5. _____ había actuado en un teatro.

6. _____ había conocido a un director.

7. _____ había visto una película del director.

8. _____ había hecho una prueba para una película.

 1.30 **Antes** Escucha a estas personas que hablan de sus actividades durante el fin de semana. Luego decide cuál de las dos oraciones es cierta.

1. _____ **a.** Antes de ir a bailar, Clara había comprado un vestido nuevo.

   b. Antes de comprar el vestido, Clara había bailado tango.

2. _____ **a.** Antes de comprar palomitas, Iván había buscado los asientos.

   b. Antes de entrar en la sala *(theater)*, Iván había ido a comprar golosinas.

3. _____ **a.** Antes de almorzar, los niños habían comido golosinas.

   b. Antes de ir al circo, la familia había comido en un restaurante.

4. _____ **a.** Antes de conducir al estadio, el padre había explicado el juego.

   b. Antes de llegar al estadio, el padre había explicado el juego.

5. _____ **a.** Antes de que saliera el cantante, había tocado un grupo local.

   b. Antes de que cantara el grupo local, había salido Enrique.

◀))) **1.31** **Experiencias** Vas a escuchar a algunas personas hablando sobre sus experiencias en el cine.
1-6 Escribe la letra que corresponde a lo que desea esa persona para cada experiencia.

Ojalá que…

1. _____   **a.** no hubiera sido tan difícil comprender.

2. _____   **b.** hubiera comprado palomitas.

3. _____   **c.** hubiera visto una película cómica.

4. _____   **d.** el director hubiera seleccionado a otro actor.

5. _____   **e.** hubiera ido a otro cine.

◀))) **1.32** **El fin de semana** Escucha lo que hicieron varias personas durante el fin de semana y escoge la
1-7 mejor frase para completar sus opiniones de forma lógica.

1. _____ A Raimundo le frustró que su equipo…   **a.** hubiera podido ver una película de acción.

2. _____ A Isadora le encantó que todas…   **b.** no hubieran podido ver mejor.

3. _____ Ojalá que Félix…   **c.** no hubiera jugado mejor.

4. _____ A Laura no le gustó que su hijo…   **d.** se hubieran divertido.

5. _____ A Melena le molestó que…   **e.** hubieran ganado.

                                                       f. se hubiera asustado.

◀))) **1.33** **Una cita** Mauricio está hablando con un amigo sobre su fin de semana. Indica si las siguientes
1-8 oraciones son ciertas o falsas. Corrige las oraciones falsas.

1. Cierto   Falso   Mauricio dijo que había invitado a Gisela a ver una película con él.

_____

2. Cierto   Falso   Explicó dónde estaba el restaurante.

_____

3. Cierto   Falso   Comentó que el servicio había sido muy bueno.

_____

4. Cierto   Falso   Dijo que no podían entrar a la función que querían.

_____

5. Cierto   Falso   Mencionó que no le había gustado la película.

_____

1.34 **El resumen** Vanesa fue a ver una película durante el fin de semana. Luego le explicó a su amiga lo que pasó en la película.

1-9

1. _____ Vanesa dijo que los padres de Paloma…

   a. habían muerto en un accidente.   **b.** la habían abandonado.

2. _____ Vanesa explicó que Paloma…

   a. había ido a vivir con su tía.   **b.** se había quedado en la casa de sus padres con su tía.

3. _____ Vanesa comentó que…

   a. Paloma había recibido una herencia *(inheritance)*.   **b.** iba a recibir una herencia más tarde.

4. _____ Vanesa dijo que la tía…

   a. quería mucho a Paloma.   **b.** quería parte de la herencia.

5. _____ Vanesa mencionó que Paloma…

   a. se había enamorado de Pablo.   **b.** se había casado con Pablo.

6. _____ Vanesa comentó que…

   a. no le gustaba el final.   **b.** no quería contarle el final.

Redacción

On a separate piece of paper, write a film review for your school newspaper in which you provide an overview of a movie you have seen and make a recommendation to see it or not.

Paso 1 Select a film that you would like to write a review for. Find out some basic information about the film: director, actors, year, any awards it might have won, and what critics thought about it. Write down a basic outline of the plot. Then write down what you thought of the movie. Note details such as plot, characters, actors, effects, etc. that support your opinions.

Paso 2 Using the information you generated in **Paso 1**, write your film review. Include an introduction to the film, a synopsis of the story (without giving away the ending), your opinions regarding the quality of the film, and your recommendation to see it or not.

Paso 3 Edit your review:

   1. Is the information clearly organized in a logical sequence?

   2. Did you include ample details to support your opinion?

   3. Do adjectives agree with the nouns they describe?

   4. Do verbs agree with the subject?

   5. Did you use verb tenses (present, preterite, imperfect, past perfect) accurately?

CAPÍTULO 2 Ganarse la vida

Practica el vocabulario

2.1 **¿Cómo se dice?** ¿Qué necesita Alex? Lee las afirmaciones y selecciona el término que corresponde a cada una.

1. ¡Necesito pesos, pero tengo dólares!

2. ¿Hay una máquina donde pueda conseguir dinero?

3. No quiero monedas, sino dinero en papel.

4. Debo esperar mi turno atrás de otra persona.

5. Me gustaría pagar con Visa.

6. Necesito un trabajo pero no puedo trabajar 40 horas a la semana.

a. hacer fila

b. cambio de moneda extranjera

c. tarjeta de crédito

d. cajero automático

e. billetes

f. trabajo de tiempo parcial

2.2 **La palabra que falta** Lee con atención cada afirmación que sigue y decide qué palabra de las opciones la completa mejor.

1. Hoy ha sido un mal día para (la solicitud de trabajo / la bolsa de valores / las prestaciones). Hubo muchas pérdidas en algunas empresas.

2. ¡Necesito ahorrar dinero! Voy a abrir (un depósito / una caja / una cuenta) de ahorros.

3. Prefiero un trabajo que tenga (un sueldo / un depósito / un gráfico) alto.

4. Los trabajos que pagan (una competencia / una jubilación / una comisión) son bastante estresantes.

5. Muchos estudiantes dependen de (los préstamos / los bonos / los sueldos) para pagar sus estudios.

6. Muchos adolescentes buscan (un cajero automático / un trabajo de verano / un gerente).

2.3 Busco trabajo María Inés le explica a una amiga el tipo de trabajo que está buscando. Completa sus ideas con palabras lógicas.

clientes	**empleado**	**solicitud de trabajo**
contrato	**empresa**	**sueldo**
currículum vítae	**gerente**	**tiempo completo**
desempleo	**prestaciones**	**tiempo parcial**

Tengo muchas clases difíciles este año. ¡No puedo trabajar más de diez horas a la semana! Necesito

encontrar un trabajo de (1) _____. Todavía no he completado ninguna

(2) _____ porque primero quiero actualizar (*update*) mi

(3) _____ con la información de mi trabajo del verano pasado. También

quiero pedirle a la (4) _____ de mi último puesto una carta de recomendación.

Después de graduarme del colegio, deseo un puesto en una (5) _____ con buenas

(6) _____, aunque será difícil de encontrar. Yo tengo facilidad para trabajar

con (7) _____ y sé que podré hacerlo bien. Por ahora, con alto nivel de

(8) _____ en nuestro país, ¡sueño con cualquier trabajo!

2.4 No pertenece Indica cuál de las palabras en cada lista no pertenece (*belongs*).

1. el dinero   el puesto   la moneda   el billete

2. jubilarse   depositar   invertir   retirar

3. contratar   despedir   disminuir   renunciar

4. la comisión   el sueldo   las ganancias   la caja

5. cargar   cobrar   pagar   firmar

2.5 Definiciones Lee cada definición y escribe la palabra del vocabulario con el artículo definido que define.

1. El dinero que le da un banco a un cliente y que el cliente debe devolver con intereses:

_____

2. La persona que tiene un empleo en una empresa: _____

3. El número que representa una parte de un total basado en un valor de 100: _____

4. Sinónimo de "trabajo": _____

5. Un documento que incluye información sobre la educación e historia de trabajo de una persona:

_____

6. El seguro médico, los ahorros para la jubilación y otros tipos de apoyo que vienen con muchos trabajos de

tiempo completo: _____

2.6 **Tus experiencias** Lee las preguntas y respóndelas con oraciones completas.

1. En tu opinión ¿qué se debe hacer para tener una buena entrevista de trabajo?

_____

2. ¿Qué porcentaje de su sueldo debe ahorrar una persona? ¿Por qué?

_____

3. ¿Qué servicios de un banco usas o usan tus padres más frecuentemente?

_____

4. ¿Crees que el dinero en efectivo va a desaparecer un día? ¿Por qué?

_____

Practica la gramática 1

The future tense

2.7 **Los economistas** Algunos expertos en economía están haciendo predicciones para el próximo año. Completa el párrafo con el futuro de los verbos entre paréntesis.

De acuerdo a nuestros estudios, pensamos que (1) _____ (haber) menos trabajos y el desempleo

(2) _____ (aumentar) al menos un diez por ciento. Sin embargo, muchas personas

(3) _____ (ahorrar) más para su jubilación, ya que se calcula que muchos (4) _____

(jubilarse) en los próximos cinco años. Más personas (5) _____ (vender) sus casas y

(6) _____ (comenzar) a alquilar una habitación, ya que las hipotecas (*mortgages*) son más y más

difíciles de pagar. Si las personas invierten dinero en la bolsa de valores ahora, (7) _____ (recibir)

mucho dinero en forma de intereses después. Debemos ser optimistas, porque, como las recesiones en el

pasado, esta también (8) _____ (terminar).

2.8 **Deudas** Francisco tiene un plan perfecto para salir de su deuda. Relaciona el problema que tiene ahora con su plan para solucionarlo. Después de elegir la solución, escribe el verbo en el futuro.

1. Pagar la hipoteca de su casa
    a. _____ (Revisar) su currículum vítae.

2. No pagar intereses a tarjetas de crédito
    b. _____ (Abrir) una cuenta de ahorros.

3. Ahorrar más
    c. _____ (Disminuir) el dinero que gasta en la comida.

4. Encontrar un mejor trabajo
    d. _____ (Pagar) dinero adicional cada mes.

5. Ajustar su presupuesto
    e. No _____ (usar) sus tarjetas.

2.9 **Propósitos de año nuevo** Un grupo de amigos habla sobre sus propósitos de año nuevo. Completa cada uno con el verbo más lógico. **¡OJO!** Usa el futuro simple.

ahorrar	comprar	firmar	pagar
contratar	empezar	invertir	renunciar

1. Genoveva: El próximo año yo _____ un negocio propio (own).

2. Martín: Mi esposa y yo _____ a una persona para limpiar nuestra casa.

3. Julio: Yo _____ el dinero que gasto en comida por comer en casa.

4. Elena: Nosotros _____ al uso de las tarjetas de crédito.

5. Gaby: Mi hermano dice que _____ 5% de su sueldo en una cuenta de ahorros.

6. Alexa: Por mi parte, yo _____ un auto nuevo. ¡Quiero divertirme este año!

2.10 **Entrevista de trabajo** Amalia consiguió una entrevista para una pasantía (internship) en Costa Rica. La persona que la entrevista le hace algunas preguntas sobre su futuro. Completa las respuestas de Amalia con el futuro simple.

Modelo — ¿En qué va a trabajar en cinco años?
— *Trabajaré* en una empresa internacional.

1. ¿Dónde cree usted que va a vivir dentro de cinco años?

— _____ (Vivir) en un país donde hablen español.

2. ¿Qué va a estudiar cuando regrese de Costa Rica?

— _____ (Estudiar) una maestría en Negocios.

3. ¿Cómo va a pagar sus estudios?

—Los _____ (pagar) con el dinero que he ahorrado.

4. ¿Cuántas horas puede dedicar usted a una pasantía?

— _____ (Poder) trabajar hasta 20 horas a la semana.

5. ¿Piensa pasar el verano en Costa Rica?

— _____ (Regresar) a los Estados Unidos en julio.

6. ¿Tiene ya otras ofertas?

—Sí, tengo dos. _____ (Aceptar) la pasantía que mejor vaya con mi horario.

2.11 **¿Qué pasa?** Describe lo que pasa en la ilustración y usa el futuro para suponer la información que no sabes.

_____

_____

_____

_____

_____

_____

_____

_____

_____

_____

_____

_____

2.12 **¿Qué harás?** Explica lo que harás en los momentos indicados usando el futuro simple. Da algunos detalles adicionales.

Modelo el próximo fin de semana
Mi novia y yo iremos al cine para ver la nueva película de Benicio del Toro.

1. después de los exámenes finales

_____

2. el verano que viene

_____

3. el próximo año

_____

4. cuando termines tus estudios universitarios

_____

5. después de jubilarte

_____

Practica la gramática 2

The conditional

2.13 **¿Qué haríamos?** El amigo del señor Iglesias perdió su trabajo y se lo cuenta a su esposa. Completa su conversación con la forma apropiada del condicional de los verbos entre paréntesis.

SRA. IGLESIAS: ¿Qué (1) _____ (hacer) nosotros si tú perdieras tu trabajo? Como tenemos dos

niños (2) _____ (ser) muy difícil.

SR. IGLESIAS: Supongo que nosotros (3) _____ (necesitar) cortar gastos. Por ejemplo, yo

(4) _____ (poder) cancelar mi membrecía en el gimnasio.

SRA. IGLESIAS: Sí, ya que a ti te gusta tanto correr, no te (5) _____ (afectar) mucho. Yo

(6) _____ (hablar) con mis amigas y en vez de salir para cenar, nosotras

(7) _____ (poder) reunirnos para tomar un café.

SR. IGLESIAS: Supongo que yo (8) _____ (tener) que llevar el almuerzo en vez de comer comida

chatarra. Imagina, ¡nosotros (9) _____ (cortar) gastos y (10) _____

(estar) en mejor forma que nunca!

SRA. IGLESIAS: Pero yo (11) _____ (preferir) que ninguno de los dos perdiera su trabajo.

2.14 **En su lugar** Hugo y Paco hablan sobre las situaciones de algunos de sus conocidos. Paco sabe muy bien lo que él haría si estuviera en su lugar *(in their situation)*. Completa las ideas de Paco con el condicional de los verbos entre paréntesis.

Hugo: La mamá de Domingo perdió su trabajo.

Paco: Yo en su lugar (1) _____ (tomar) unas vacaciones y (2) _____ (descansar) antes de buscar otro trabajo.

Hugo: La familia Muñoz perdió mucho dinero en la bolsa de valores.

Paco: Yo en su lugar (3) _____ (invertir) mi dinero solamente en bienes raíces *(real estate)* y (4) _____ (poner) un poco de dinero debajo de mi cama.

Hugo: Nuestro amigo, Ramón, ganó $10.000 y lo ahorró todo.

Paco: Yo en su lugar (5) _____ (conseguir) un yate y tú y yo (6) _____ (viajar) por el Caribe.

Hugo: La señorita Lucía debe $20.000 en tarjetas de crédito.

Paco: Yo en su lugar (7) _____ (esconderse) de la policía y no le (8) _____ (decir) dónde estoy a nadie.

Hugo: Los Ramírez terminaron de pagar todo su préstamo.

Paco: Yo en su lugar (9) _____ (tener) una fiesta enorme e (10) _____ (invitar) a todo el pueblo para celebrar.

2.15 **¿Qué haría un buen vecino?** Lee cada situación y escribe todos los verbos en las reacciones posibles en el condicional. Después selecciona de entre las opciones cuál sería la reacción de un buen vecino.

Modelo Tu vecina, una mujer muy vieja, se tropieza en la calle.
a. *Tomaría* (Tomar) una foto.
b. *Me reiría* (Reírme) mucho.
ⓒ La *ayudaría* (ayudar) a levantarse.

1. Observas que una persona desconocida está en el jardín de tus vecinos y mira hacia dentro por una de las ventanas.

a. _____ (Llamar) a la policía.

b. _____ (Hablar) con el desconocido.

c. No _____ (hacer) nada.

2. Tu vecina te pide una taza de azúcar.

    a. Le _____ (decir) que no tengo.

    b. Se la _____ (dar).

    c. Se la _____ (cobrar).

3. A un vecino lo despiden de su trabajo.

    a. Le _____ (llevar) un perro y dos gatos para entretenerlo.

    b. Le _____ (traer) la sección de empleos del periódico.

    c. Lo _____ (evitar).

4. Tu vecino se va de viaje por dos semanas y te pide que recojas su correo y les eches agua a las plantas.

    a. _____ (Venir) unos minutos antes de su llegada para hacerlo una vez y muy rápidamente.

    b. _____ (Ignorar) su pedido.

    c. _____ (Seguir) sus instrucciones.

5. Tu vecina está enferma y no puede ir al mercado para comprar comida.

    a. _____ (Cerrar) las cortinas de la casa para que no llame.

    b. Le _____ (decir) que no la quiero ver porque tiene una enfermedad contagiosa.

    c. Le _____ (comprar) comida.

2.16 **La lotería** Un grupo de amigos compró un billete de lotería. Ahora ellos están especulando sobre lo que harían si ganaran la lotería. Completa sus ideas con la forma necesaria del condicional.

1. Pia: Yo le _____ (comprar) una casa a mi madre y también _____ (irse) de vacaciones.

2. Andrés: Pues yo _____ (depositar) la mitad del dinero en el banco y _____

(gastar) el resto del dinero. Pienso que también _____ (contratar) a un contador

(accountant).

3. Bruno: Yo _____ (invertir) todo en la bolsa de valores y nunca _____

(trabajar) más.

4. Samanta: Yo _____ (renunciar) a mi trabajo y _____ (pasar) toda mi vida en

la playa.

5. Luis: Pues a mí me gusta trabajar. Yo les _____ (dar) mi porción a varias organizaciones

benéficas *(charities)* para ayudar a los pobres. Pero con un poco del dinero a mí me _____

(gustar) comprar un auto nuevo.

2.17 Buenos modales Miguel es gerente en una tienda y tiene algunos problemas en su trabajo porque no sabe hablarles a los empleados con amabilidad. Sugiérele formas más amables de decir lo que quiere.

Modelo Señorita: ¿Por qué sigue sonando ese teléfono? ¡Me está volviendo loco!
Señorita, ¿contestaría usted el teléfono, por favor?

1. Señor Cervantes: ¡Llegue a tiempo a la oficina!

_____

2. Señora Iriarte: ¡No coma enfrente de su computadora!

_____

3. Señorita Abreu: ¡No pierda usted tanto tiempo hablando por teléfono!

_____

4. Señor Carriles: ¡No mire las páginas de redes sociales en el trabajo!

_____

5. Señorita Montes: ¡Cambie su contraseña *(password)* cada tres meses!

_____

2.18 En el trabajo Imagina lo que harías tú si te encontraras en las siguientes situaciones en tu trabajo.

1. Estás trabajando en un proyecto con un compañero de tu oficina. La otra persona no está haciendo su parte. ¿Qué harías?

_____

2. Descubres que uno de tus compañeros de trabajo está robando dinero de la empresa. ¿Qué harías?

_____

3. Tú siempre llegas a la oficina a tiempo, pero varios de tus compañeros casi siempre llegan tarde, a veces 30 ó 40 minutos tarde. ¿Qué harías?

_____

4. Tu jefe te dice que va a despedir a tu compañero de trabajo y va a hablar con él a las 4:00. Ahora son las 2:00. ¿Qué harías?

_____

5. Tu compañero de trabajo te dice un rumor: Van a disminuir los sueldos a causa de la recesión económica. Tú sabes que muchos compañeros de trabajo necesitan ese dinero. ¿Qué harías?

_____

6. Descubres que en tu trabajo les pagan a las mujeres mucho menos de lo que les pagan a los hombres por el mismo trabajo. ¿Qué harías?

_____

Practica la gramática 3

The future perfect tense and the conditional perfect tense

2.19 **Nuestro futuro** Muchos sueñan con jubilarse a la edad de 65 años, pero para ello hay que planear con cuidado... ¿Qué planes habrá completado Florencia cuando tenga 65 años?

"Cuando cumpla 65 años, yo (1) _____ (ganar) mucho dinero. Mi esposo y yo

(2) _____ (terminar) de pagar por la casa y creo que (3) _____ (mudarse)

a un pueblo pequeño, porque estoy segura de que yo (4) _____ (cansarse) de vivir en una

ciudad grande. Supongo que mis nietos ya (5) _____ (nacer). Ellos ya (6) _____

(empezar) la escuela. Por fin nuestros hijos (7) _____ (descubrir) que nosotros somos bastante

sabios y (8) _____ (comenzar) a pedirnos consejos. Para divertirme, yo ya

(9) _____ (aprender) a hacer cerámica, mi sueño desde niña".

_____

2.20 **¿Qué habrá ocurrido?** Completa la conversación entre un jefe y su empleado. Necesitas usar el futuro perfecto.

Jefe: Señor Nuñez, ¿dónde está mi secretario?

Sr. Nuñez: No sé, jefe. Imagino que (1) _____ (perder) el autobús.

Jefe: ¿Sabe usted por qué no ha comenzado la junta *(meeting)* sobre finanzas?

Sr. Nuñez: No sé... (2) _____ (organizar) otra junta más urgente al mismo tiempo.

Jefe: ¿Sabe usted dónde están mis apuntes *(notes)* sobre la reunión con el señor Hernández?

Sr. Nuñez: No sé, jefe. Imagino que la señorita Rodríguez ya los (3) _____ (poner)

             en su escritorio.

Jefe: ¿En qué salón es mi reunión a las 4:00?

Sr. Nuñez: No estoy seguro. Supongo que el asistente (4) _____ (reservar)

             el salón grande.

Jefe: ¿Está listo el almuerzo para los señores Ortega?

Sr. Nuñez: No sé... seguramente el cocinero (5) _____ (empezar) a prepararlo ya.

Jefe: ¿Ha terminado la señorita Rodríguez de escribir los documentos asociados con el préstamo?

Sr. Nuñez: No sé... Imagino que lo (6) _____ (hacer) antes de hacer otra cosa.

2.21 **¿Qué habrás hecho?** Explica lo que piensas que habrás hecho antes de los tiempos indicados. Piensa en tu vida personal y profesional. Usa el futuro perfecto como en el modelo.

Modelo   en 1 año *En un año habré empezado a estudiar francés.*

1. en 5 años

_____

2. en 10 años

_____

3. en 15 años

_____

4. en 20 años

_____

5. en 25 años

_____

_____

2.22 **Lo habría hecho.** Abel perdió su trabajo y tiene que buscar otro. Elena quiere saber cómo va la búsqueda. Completa sus preguntas con la forma apropiada del pretérito de los verbos entre paréntesis y las respuestas de Abel con el condicional perfecto de los verbos.

Modelo   Elena: ¿*Hablaste* (hablar) con Ricardo sobre el trabajo en su oficina?
             Abel: *Habría hablado* con él, pero está de vacaciones ahora.

1. Elena: ¿_____ (completar) la solicitud para el trabajo en la universidad?

   Abel: La _____, pero no la pude encontrar.

2. Elena: ¿_____ (mirar) los anuncios de trabajo en Internet?

   Abel: Los _____, pero no había conexión esta mañana.

3. Elena: ¿Le _____ (pedir) una carta de recomendación a Román Mirabal?

   Abel: Se la _____, pero no estaba en la oficina hoy.

4. Elena: ¿Ya _____ (revisar) tu currículum vítae?

   Abel: Yo lo _____ pero no pude encontrar la versión anterior.

5. Elena: ¿_____ (retirar) los fondos que necesitamos para pagar el traje nuevo que necesitas para ir a entrevistas?

   Abel: Los _____ pero no tenía el número de nuestra cuenta conmigo.

6. Elena: ¿ _____ (llamar) a mi tío que trabaja para el restaurante?

   Abel: Yo lo _____ pero no pude encontrar su número.

2.23 **¿Qué habría pasado?** Hubo un robo en la oficina de Gloria. Selecciona la explicación lógica para cada situación que Gloria describe, y escribe el verbo en el condicional para explicar la hipótesis.

1. Nadie vio el robo

2. La alarma no sonó.

3. La oficina del jefe era un desastre.

4. La caja estaba vacía *(empty)*.

5. Una ventana estaba rota.

a. Alguien la _____ (romper) para entrar.

b. Alguien _____ (robar) todo el efectivo.

c. Los ladrones _____ (llegar) muy temprano por la mañana.

d. Los ladrones _____ (buscar) cosas de valor en su oficina.

e. Alguien la _____ (desconectar).

2.24 **Si fuera yo** Explica lo que habrías hecho en las siguientes situaciones. Usa el condicional perfecto, como en el modelo.

Modelo   Dani se dio cuenta de que la cajera no le cobró una de las camisas, pero no le dijo nada. ¿Qué habrías hecho tú? *Yo le habría dicho algo. / Tampoco le habría dicho nada.*

1. Cuando un hombre entró al banco para robarlo, Víctor se escondió en el baño. ¿Qué habrías hecho tú?

_____

2. Elsa no tiene mucha experiencia de trabajo, entonces inventó información para su currículum vítae. ¿Qué habrías hecho tú? _____

_____

3. Mónica fue a una fiesta en vez de escribir su composición. Cuando tenía que entregársela a la profesora, le dijo que estaba enferma y le pidió una extensión. ¿Qué habrías hecho tú? _____

_____

4. Marcos necesita pasar un examen de idioma extranjero como parte de una solicitud de trabajo. El examen se toma por teléfono. Marcos tiene miedo y le pidió a su amigo, John, que hablara por él en el examen. ¿Qué habrías hecho tú? _____

_____

5. Laura supo que su novio salió con otra chica. Ella decidió romper con él. ¿Qué habrías hecho tú? _____

_____

6. Melisa encontró una cartera con $250 e inmediatamente se fue al centro comercial para comprarse ropa nueva. ¿Qué habrías hecho tú? _____

_____

¡Hora de escribir!

2.25 **La lotería** A local radio station wants to know what its listeners would do if they were to win a million-dollar lottery. Write an email with your response.

Paso 1 Brainstorm some of the things that you would do if you won one million dollars. Then narrow your choices to the top three and come up with reasons why you would make those choices.

Paso 2 Write your email using the information you generated in **Paso 1.** Be sure to give a full explanation of 2–3 sentences for each of your choices.

_____

_____

_____

_____

_____

_____

_____

_____

_____

_____

_____

_____

Paso 3 Edit your email:

1. Is your email logically organized?

2. Are there any short sentences you could combine?

3. Do the verbs agree with their subjects?

4. Did you use the appropriate verb tenses (present, conditional, future)?

¡Hora de escuchar! 1

 2.26 **¿Lógico o ilógico?** Escucha los consejos financieros y decide si son lógicos o ilógicos.

2-1

1. lógico   ilógico

2. lógico   ilógico

3. lógico   ilógico

4. lógico   ilógico

5. lógico   ilógico

 2.27 **¿Qué debo hacer?** Ramiro tiene una entrevista de trabajo. ¿Cuál es la respuesta lógica a las

2-2   preguntas que le hicieron?

1. **a.** Sí, tengo experiencia trabajando en bancos.   **b.** Sí, busco un trabajo de tiempo completo.

2. **a.** Sí, renuncié a mi trabajo.   **b.** Renuncié porque mi familia se mudó a otra ciudad.

3. **a.** No, siempre he sido un buen trabajador.   **b.** Sí, pedí un contrato.

4. **a.** Se la entregué la semana pasada.   **b.** Mi jefe anterior me recomienda.

5. **a.** Yo podría empezar a trabajar inmediatamente.   **b.** Yo podría trabajar todo el tiempo que sea necesario.

2.28 **Definiciones** Vas a escuchar varias definiciones. Decide a qué palabra se refiere cada una.

2-3

1. **a.** cobrar   **b.** invertir   **c.** despedir

2. **a.** los negocios   **b.** las prestaciones   **c.** las ganancias

3. **a.** el cajero   **b.** el contrato   **c.** el préstamo

4. **a.** la gerente   **b.** el sueldo   **c.** el recibo

5. **a.** el cliente   **b.** la bolsa de valores   **c.** el empleado

6. **a.** el cajero automático   **b.** la cuenta   **c.** la moneda

Pronunciación

The sounds associated with "r" in Spanish contribute to the perception of a learner's accent as "foreign" or "native-like." These two sounds are called **r simple** and **r múltiple** (often written as **rr**). One key difference between Spanish and English "r" is the placement and movement of the tongue. English "r" is pronounced with the tongue stationary, the tip of the tongue turned up (and slightly back), but not touching the roof of the mouth. In pronouncing either "r" in Spanish, the tip of the tongue moves to touch the roof of the mouth behind the alveolar ridge (the hard ridge behind your teeth) either once (**r simple**) or several times (**r múltiple**). The English sound that best approximates Spanish simple "r" is that produced when pronouncing the *tt* in *butter* or *pretty,* or the *dd* in *ladder.*

🔊 **/r/ simple y múltiple, parte 1** Escucha la grabación y repite las palabras imitando la pronunciación
2-4 de la /r/ que oyes.

1. river
2. batter
3. shiver
4. clutter
5. solicitar
6. contratar
7. despedir
8. tarjeta
9. cargar
10. préstamo
11. firmar
12. dinero

¡Hora de escuchar! 2

🔊 **2.29 Situaciones** Escucha los comentarios de varias personas y decide cuál es la mejor respuesta para
2-5 cada pregunta.

1. ¿Qué hará Yago?
   a. Hablará con su jefe sobre un aumento de sueldo.
   b. Pedirá mejores prestaciones.

2. ¿Qué hará Romeo?
   a. Conseguirá una tarjeta de crédito.
   b. Abrirá una cuenta de ahorros.

3. ¿Qué hará Faustina?
   a. Revisará su currículum vítae.
   b. Se pondrá un traje.

4. ¿Qué hará Dalia?
   a. Pagará en efectivo.
   b. Pedirá un préstamo del banco.

5. ¿Qué hará Raimundo?
   a. Se jubilará.
   b. Buscará un trabajo de tiempo parcial.

2.30 **La lotería** Varios compañeros de trabajo compraron billetes de lotería. Escucha la información de cada uno y decide lo que cada uno haría si ganara.

2-6

1. _____ Reina   **a.** Compraría nuevos vestidos y zapatos.

2. _____ Natalia   **b.** Invertiría en la bolsa de valores.

3. _____ Genaro   **c.** Donaría el dinero.

4. _____ Ulises   **d.** Pondría el dinero en una cuenta de ahorros.

5. _____ Martín   **e.** Iría de viaje.

                            f. Ahorraría *(He would save)* el dinero para la educación de sus hijos.

2.31 **Un ascenso** Gregorio ha trabajado para la misma compañía por seis años. Es posible que reciba un ascenso *(promotion)* este mes, y con el ascenso viene un aumento de sueldo. Escucha a Gregorio mientras habla de lo que haría si le dieran el ascenso. Indica todas las ideas que menciona.

2-7

1. _____ Ayudaría a los empleados a usar más tecnología.

2. _____ Contrataría a más empleados.

3. _____ Despediría a algunos trabajadores perezosos.

4. _____ Pediría un aumento de sueldo para algunos de sus empleados.

5. _____ Compraría una casa.

6. _____ Conseguiría un auto nuevo.

7. _____ Iría de viaje con su esposa.

8. _____ Ahorraría *(He would save)* para poder tener un hijo.

2.32 **La entrevista** Escucha mientras Amanda habla sobre lo que hará esta semana para prepararse para una entrevista de trabajo. Elige la conclusión correcta para cada oración.

2-8

1. Antes del viernes, Amanda habrá pedido…   **a.** un día libre.   **b.** referencias.

2. Antes del viernes, Amanda habrá comprado…   **a.** ropa nueva.   **b.** zapatos.

3. Antes del viernes, Amanda habrá hablado…   **a.** con su nuevo jefe. **b.** con las personas que darán referencias.

4. Antes del viernes, Amanda habrá buscado…   **a.** contactos en la empresa. **b.** información de la empresa.

5. Antes del viernes, Amanda habrá practicado… **a.** sus respuestas.   **b.** un discurso.

2.33 **Opuestos** Héctor y Víctor son hermanos, pero son muy diferentes. Héctor es ahorrador *(frugal)* pero a
2-9   Víctor le gusta gastar dinero. Escucha los comentarios y decide quién habla, Héctor o Víctor.

1. Héctor   Víctor

2. Héctor   Víctor

3. Héctor   Víctor

4. Héctor   Víctor

5. Héctor   Víctor

Redacción

You plan to apply for the job in the following ad. On a separate piece of paper, write a cover letter to
accompany your résumé. Keep in mind that cover letters should be written in a formal style.

> **Recepcionista** Requisitos: responsable y trabajador, trato amable, buena presentación,
> manejo de PC, buen conocimiento de español e inglés, preferentemente con experiencia.
> Buen sueldo y vacaciones pagadas. Interesados enviar currículum vítae y carta de solicitud
> al señor Félix Martínez, Director de Recursos Humanos, Empresas Herrera, calle García
> Lorca 947, 18060 Granada

Paso 1 Brainstorm the skills, qualities, and experiences that would make you a good candidate for this position.

Paso 2 Write your cover letter using the information you brainstormed in **Paso 1.** Include the following
in your letter: an introduction in which you express your interest in the position, a description of your skills,
qualifications and experiences that make you the ideal candidate, and your desire for an interview. Remember
to use formal language and proper formatting (your address and date in upper right-hand corner, a greeting of
Estimado señor, and a closing of **Atentamente** or **Un saludo cordial**).

Paso 3 Edit your letter:

1. Did you use the **usted** form throughout your letter?

2. Did you use the appropriate verb tenses?

3. Do adjectives agree with the person or object they describe?

4. Do verbs agree with their subjects?

5. Did you check your spelling, including accents?

CAPÍTULO 3　El campo o la ciudad

Practica el vocabulario

3.1 **¿Campo o ciudad?** Lee cada afirmación y decide si habla del campo o de la ciudad. Luego, decide si es una ventaja o desventaja.

> **Modelo** Hay muchos embotellamientos.
> *ciudad　desventaja*

1. No hay un buen sistema de transporte.

_____　_____

2. Hay demasiadas fábricas.

_____　_____

3. Hay menos crimen y es más tranquilo.

_____　_____

4. Es cosmopolita y tiene una gran variedad de restaurantes.

_____　_____

5. La comida es muy fresca porque viene de los huertos locales.

_____　_____

6. Es difícil conocer bien a los vecinos porque el ritmo del lugar es muy rápido.

_____　_____

7. Muchas veces hay una carencia de árboles y zonas verdes.

_____　_____

3.2 **Un día en la ciudad** Elisa tuvo un día muy típico en su ciudad. Completa su narración con palabras lógicas del vocabulario.

afueras	barrio	gente	rascacielos
aglomeración	callejero	monumento	tráfico
asfalto	embotellamiento	quiosco	vecinos

¡Tuve un día pesadísimo *(tiring)*! Salí de mi casa muy temprano por la mañana, pero había mucho

(1) _____ y estuve detenida por dos horas en un gran

(2) _____. Por supuesto, llegué tarde a mi trabajo. Por mala suerte ese día tenía

una junta *(meeting)* con los (3) _____ en mi colonia, porque querían discutir

el nuevo reglamento. Como no quería llegar tarde, decidí dejar mi auto en un estacionamiento y tomar el

transporte público... ¡mala idea! Esperé en la parada de autobús *(bus stop)* por 45 minutos. Había mucha

(4) _____ esperando. Todos estábamos de mal humor. Me cansé de esperar y fui

a un (5) _____ para comprar una revista para entretenerme. Sabía que no había

forma de llegar a tiempo a mi junta, así que regresé a mi oficina para recoger mi automóvil. Frente al edificio

de mi oficina hay un (6) _____ a los héroes de la independencia, y sentado allí

estaba un perrito (7) _____. Movió la cola con alegría cuando me vio... ¡fue amor

a primera vista! En ese momento olvidé todas las frustraciones del día. Regresamos a casa juntos, y ya no me

molestaron ni el tráfico ni las aglomeraciones.

3.3 **Un día en el campo** Elisa decidió que ella y su nuevo perro, Pulgas, necesitaban un día de descanso en el campo. Completa el mensaje que le escribió a una amiga sobre la experiencia.

¡Qué diferencia! Es lindo salir de la ciudad de vez en cuando. Pulgas y yo fuimos a un pueblo muy

(1) _____ (pintoresco / urbano). En esta región se dedican a (2) _____ (ahuyentar /

cultivar) maíz, y también hay (3) _____ (barrios / huertos) de árboles frutales. Hay muy poco

(4) _____ (crimen / cultivo) y la (5) _____ (mano de obra / gente) es muy amable.

En vez de *(Instead of)* ver (6) _____ (rascacielos / ruidos), las cosas más altas que se ven son los

árboles. Al mediodía, fuimos a almorzar con una familia que tiene un (7) _____ (ganado / rancho)

pequeño. ¡Qué rica estaba la comida! Esta familia se especializa en la (8) _____ (ganadería /

urbanización). Su rancho produce mucha lana *(wool)* fabulosa. Espero regresar pronto.

3.4 **¿Cómo son?** Identifica el adjetivo más lógico para completar cada oración.

1. Buenos Aires es una ciudad _____.

2. En las grandes ciudades, salir solo (alone) por la

   noche es _____.

3. Hay veintiún países _____.

4. Pátzcuaro, es un pueblito muy _____.

5. En Bogotá se pueden comprar artesanías _____.

6. En cada barrio urbano, hay muchas tiendas _____.

a. pintoresco
b. cosmopolita
c. locales
d. hispanohablantes
e. cercanas
f. arriesgado

3.5 **El paisaje urbano** Fernanda le describe lo que vio en su viaje a Panamá a una amiga que no habla español muy bien. Completa lo que dice con las palabras que faltan según sus explicaciones.

¡Fue un viaje muy interesante! La ciudad de Panamá es muy moderna. Hay muchos (1) _____, es decir, edificios muy altos. La ciudad está creciendo muy rápido. Hay (2) _____ por todas partes, es decir, el material con que hacen las calles. Esto es porque están construyendo muchas nuevas avenidas, y hasta un nuevo (3) _____, es decir un medio para que las personas puedan viajar dentro de la ciudad. Es una ciudad con mucha acción. Como allí vive mucha gente, siempre hay (4) _____, es decir mucha gente en un lugar, pero no me molesta porque la gente es muy amable. Cada una de las tres partes principales de la ciudad —el centro, que es la parte más densa, las (5) _____, que son las regiones residenciales, y las (6) _____, o las partes más distantes de la ciudad— tiene su propio estilo y personalidad. En el centro, se encuentran muchos (7) _____ históricos que tienen información sobre el desarrollo de la ciudad. Sería difícil manejar un carro aquí porque hay mucho (8) _____, es decir, hay muchos carros en las calles, pero este problema se encuentra en cualquier ciudad grande.

3.6 **Opiniones** Completa las oraciones de acuerdo a tus opiniones o experiencias.

1. Pienso que lo mejor de vivir en una ciudad es _____.

2. Lo peor de vivir en una ciudad es _____.

3. Lo mejor de vivir en el campo es _____.

4. Lo peor de vivir en el campo es _____.

5. La gente de las grandes ciudades es _____.

6. Pienso que las granjas son _____.

Practica la gramática 1

Comparatives

3.7 **Iguales** Pepa se mudó de Lima, Perú, a Bogotá, Colombia. Ha encontrado muchas semejanzas entre las dos ciudades. Completa sus ideas con comparaciones de igualdad.

1. Bogotá es _____ interesante _____ Lima.

2. Lima tiene _____ museos interesantes _____ Bogotá.

3. La gente de Lima es _____ amable _____ la gente de Bogotá.

4. Los embotellamientos son _____ frecuentes en Bogotá _____ en Lima.

5. Hay _____ monumentos lindos en Bogotá _____ en Lima.

3.8 **Decisiones** Mercedes y Armando, una pareja joven, están tratando de decidir si quieren quedarse en la ciudad o mudarse al campo. Completa su conversación con las siguientes palabras: **más, menos, tan, tanto(s), tanta(s), que** y **como.**

MERCEDES: Yo creo que debemos quedarnos aquí. Tenemos buenos trabajos. Aquí tenemos

(1) _____ oportunidades que en el campo.

ARMANDO: Es verdad que hay buenas oportunidades aquí, pero en el campo hay (2) _____

crimen que en la ciudad. Además el aire es (3) _____ limpio afuera de la ciudad, y en

el campo podemos tener una casa más grande (4) _____ nuestra casa actual. Por otra

parte, la vida en el campo puede ser (5) _____ agradable (6) _____ en la

ciudad porque en ambos *(both)* lugares la gente es buena.

MERCEDES: La verdad es que hay (7) _____ ventajas (8) _____ desventajas. Por eso es

una decisión difícil.

3.9 **Superlativos** ¿Qué tanto sabes del mundo que nos rodea? Escribe oraciones usando las palabras indicadas. Atención a la forma de los adjetivos.

Modelo   El océano Pacífico / océano / grande / mundo
El océano Pacífico es el océano más grande del mundo.

1. El Aconcagua / montaña / alto / América _____

_____

2. El salto del Ángel / catarata *(waterfall)* / alto / mundo _____

_____

3. La Rinconada, en Perú / ciudad / alto / mundo _____

_____

4. Argentina / país / grande / habla hispana _____

_____

5. La Ciudad de México / ciudad / poblado / Norteamérica _____

_____

6. Los Andes / cordillera *(mountain range)* / largo / mundo_____

_____

7. el tráfico de Los Ángeles / malo / Norteamérica _____

_____

8. Cartagena, en Colombia / ciudad / viejo / las Américas _____

_____

3.10 **Errores** Lee las afirmaciones sobre los países hispanohablantes y corrígelas. En la primera línea escribe la palabra equivocada, y en la segunda línea escribe la palabra que corrige el error.

Modelo La ciudad de Guayaquil es tan bonita que la ciudad de Quito.	*que* *como*

1. En Barcelona viven casi tantos personas
como en Madrid. _____ _____

2. En Costa Rica hay más que 800 especies
de aves *(birds)*. _____ _____

3. En Chile se registró el peor terremoto que todo el mundo. _____ _____

4. El aire en Veracruz es mejor como el aire en la
Ciudad de México. _____ _____

5. La ciudad de Santiago, en Chile, tiene un clima tan
templado que Napoles, Italia. _____ _____

6. Guatemala tiene muchos volcanes, pero ha experimentado
menos que cuatro erupciones en este siglo. _____ _____

3.11 **Comparaciones** Piensa en dos lugares en la ciudad o pueblo donde vives en cada categoría y compáralos. Te toca decidir (*It's up to you to decide*) la categoría para el número 5. Usa comparaciones negativas y positivas.

Modelo dos escuelas
La escuela secundaria Lincoln es mejor que la escuela secundaria Washington.

1. dos calles _____

2. dos edificios _____

3. dos restaurantes _____

4. dos tiendas _____

5. ¿? _____

_____

3.12 **Opiniones** Usa las palabras indicadas para expresar tu opinión sobre algunos lugares. Usa **menos** y **más** en tus opiniones. Atención a la forma del adjetivo.

Modelo el monumento / famoso
El monumento más famoso del mundo es la Torre Eiffel.

1. la ciudad / peligroso _____

2. el pueblo / bonito _____

3. la universidad / bueno _____

4. el estado / turístico _____

5. el país / interesante _____

Practica la gramática 2

Si clauses (possible situations)

3.13 **Una semana diferente** Completa las oraciones con el presente indicativo y el futuro simple para explicar lo que Ana hace generalmente y lo que hará si algo cambia.

1. Generalmente, Ana _____ (maneja) a su oficina, pero si mañana nieva, ella _____ (tomar) el transporte público.

2. En el verano, Ana generalmente _____ (cultivar) vegetales en su jardín, pero si ella puede viajar el próximo verano, ella no _____ (sembrar) nada.

3. Usualmente, Ana _____ (preparar) su café en la casa, pero si mañana tiene prisa ella lo _____ (comprar) en un café cerca de su trabajo.

4. Los sábados, Ana _____ (levantarse) a las nueve, pero este sábado si sale al campo con algunos amigos, _____ (tener) que levantarse más temprano.

5. Los lunes después del trabajo, Ana _____ (reunirse) con algunas amigas. Este lunes, si Ana tiene que ir al médico, no _____ (asistir) a la cita con sus amigas.

6. Generalmente, Ana _____ (leer) un libro antes de dormirse, pero si esta noche viene su mamá, ellas _____ (mirar) un documental en la tele.

3.14 Consejos El tío de Cayetano acaba de recibir una herencia *(inheritance)*: un terreno *(land)* en el campo. Todos sus amigos tienen consejos para él. Completa sus recomendaciones con el imperativo del verbo entre paréntesis.

1. Roberta: Si no quieres vivir en el campo, no _____ (quedarse) con el terreno. _____ (Venderlo) e _____ (invertir) el dinero.

2. Donato: Si te gusta la tranquilidad, _____ (construir) una casa en el campo y _____ (ir) a vivir allí.

3. Jacinto: Si vives en el campo, no _____ (comprar) vegetales; _____ (cultivarlos) en un huerto.

4. Marcos: Si te gusta la pesca, _____ (mudarse) al campo. _____ (Encontrar) un rancho cerca de un lago y _____ (disfrutar) de tu pasatiempo.

5. Maricela: Si prefieres la ciudad, no _____ (vivir) en el campo. Pero no _____ (vender) el terreno, _____ (alquilarlo) para tener otra fuente de ingresos.

3.15 El nuevo vecino El señor Rangel habla con un nuevo vecino que acaba de mudarse *(just moved)* a su ciudad. Lee sus comentarios y elige la conclusión lógica para cada idea.

1. Si salgo a cenar los fines de semana,...

   a. ceno en el restaurante cubano que está cerca.   **b.** cenaré en el restaurante cubano que está cerca.

2. Si quiere salir a cenar conmigo mañana,...

   a. cenamos en un restaurante mexicano.   **b.** cenaremos en un restaurante mexicano.

3. Si tiene alguna pregunta,...

   a. puede llamarme.   **b.** podrá llamarme.

4. Si va a comprar un auto,...

   a. tiene que pagar para estacionarlo *(to park it).*   **b.** tendrá que pagar para estacionarlo.

5. Si decido ir al teatro la próxima semana,...

   a. voy el miércoles.   **b.** iré el miércoles.

6. Si quiere ir al museo conmigo este sábado,...

   a. vamos al Museo Nacional.   **b.** iremos al Museo Nacional.

3.16 **Mudanza** Los Martínez van a mudarse a un pueblito pequeño en el campo y sus amigos les dan consejos y opiniones. Completa sus consejos con la forma necesaria del verbo entre paréntesis. ¡OJO! Decide entre usar mandatos, el futuro o el presente.

DON PEDRO: Si compran una granja, (1) _____ (buscar) una que sea muy grande.

DOÑA LUISA: Si se sienten muy solos, (2) _____ (llamarnos) por teléfono.

SRA. RANGEL: Yo vivo en un pueblo pequeño y si hay una emergencia, (3) _____

(poder) confiar *(to rely)* en todas las personas del pueblo, pero si quiero divertirme

(4) _____ (ir) a la ciudad. Por eso, si se aburren, (5) _____ (venir)

a visitarnos. Si no vienen, nosotros (6) _____ (ir) a visitarlos en las vacaciones.

TÍA EDITH: Si piensan cultivar sus propios vegetales (7) _____ (sembrar) con abono

(fertilizer) orgánico.

SR. MARTÍNEZ: Gracias a todos por sus consejos, si necesitamos ayuda, seguro que nosotros los

(8) _____ (llamar). Si necesito ayuda con mi huerto, Edith,

(9) _____ (ponerme) en contacto contigo porque eres la experta.

3.17 **Recién graduado** Enrique acaba de graduarse del colegio. Ahora tiene que tomar muchas decisiones. Completa las siguientes oraciones con una conclusión lógica.

1. Si no puede encontrar un trabajo este verano, _____

_____.

2. Si acepta un trabajo en un pueblo, _____

_____.

3. Si prefiere quedarse en su ciudad, _____

_____.

4. Si quiere comprar un auto de segunda mano *(used)*, _____

_____.

5. Si decide continuar con sus estudios, _____

_____.

6. Si va a quedarse con su novia, _____

_____.

3.18 **Ofertas de trabajo** Tienes dos ofertas de trabajo para el verano: una en una ciudad grande y otra en el campo. Completa las siguientes oraciones con un argumento a favor y un argumento en contra de cada opción. Atención a la forma de los verbos.

> Modelo   En contra: *Si voy a trabajar en el campo, no tendré transporte.*
> A favor: *Si voy a trabajar en el campo, comeré frutas directamente del árbol.*

ciudad

1. a favor: Si _____ .

2. en contra: Si _____ .

campo

3. a favor: Si _____ .

4. en contra: Si _____ .

Practica la gramática 3

Si clauses (hypothetical situations)

3.19 **Sueños** Un grupo de amigos hablan de lo que harían si las circunstancias fueran diferentes. Completa su conversación con el condicional o con el subjuntivo del imperfecto de los verbos entre paréntesis.

MANUEL: Si yo fuera presidente, (1) _____ (mejorar) la vida de los campesinos.

RODRIGO: ¡Yo también! Si (2) _____ (ser) presidente, también

(3) _____ (combatir) el abandono *(abandonment)* en que se encuentra

el campo.

LOURDES: Yo (4) _____ (participar) más en política si (5) _____

(tener) más tiempo, y si yo fuera presidente, (6) _____ (poner) mi atención

en los problemas de las grandes ciudades.

SARA: Estoy de acuerdo con Lourdes. Yo (7) _____ (crear) trabajos en el campo

para acabar con las carencias que hay.

OMAR: Si yo (8) _____ (poder) cambiar algo, (9) _____

(limpiar) las partes pobres de las ciudades. Todos merecen vivir en un lugar limpio.

3.20 **El diario** Completa el párrafo siguiente en el diario de Estela. Usa el imperfecto del subjuntivo o el condicional de los verbos entre paréntesis según corresponda.

Si yo (1) _____ (ganar) mucho dinero, (2) _____ (viajar) por todo el mundo... bueno,

si yo (3) _____ (tener) novio, probablemente lo (4) _____ (invitar) a venir conmigo.

Si mi novio y yo (5) _____ (casarnos) seguramente (6) _____ (vivir) en un rancho.

Si (nosotros) (7) _____ (vivir) en el campo, nosotros (8) _____ (tener) hijos.

Y si (nosotros) (9) _____ (tener) hijos, yo les (10) _____ (enseñar) a cultivar un

huerto y a cuidar a los animales del rancho. Pero aunque yo no fuera millonaria, de todas formas

(11) _____ (estar) feliz viviendo una vida sencilla en el campo, si (12) _____ (tener)

una familia que me quisiera.

3.21 **En cambio yo** Tu amigo acaba de mudarse a una ciudad grande y hace comentarios sobre su experiencia. Explica lo que harías o cómo reaccionarías en la misma situación.

    Modelo   Puedo usar el transporte público en vez de conducir.
               Si pudiera usar el transporte público en vez de conducir, no necesitaría el auto de mi papá.

1. Nuestro apartamento está en el séptimo piso y no tiene ascensor.

_____

2. El apartamento acepta gatos pero no perros.

_____

3. Hay un cine grande cerca del edificio donde vivo.

_____

4. Siempre llego tarde a la escuela por el tráfico.

_____

5. Hay mucho ruido por la noche.

_____

3.22 Reflexiones Estela ya no es joven. Ahora ella tiene nietos y reflexiona con ellos sobre lo que ella habría hecho si las condiciones hubieran sido diferentes.

NIETO: Abuelita ¿has viajado a otros países?

DOÑA ESTELA: No, pero yo (1) _____ (viajar) a otros países si (2) _____ (tener) dinero.

NIETO: Abuelita ¿alguna vez viviste en una granja?

DOÑA ESTELA: Sí, pero (3) _____ (vivir) en una ciudad si (4) _____ (ser) posible. Me encanta la ciudad.

NIETO: Abuelita ¿de joven tuviste muchos novios diferentes?

DOÑA ESTELA: No, solamente salí con tu abuelo. Y aún si (5) _____ (recibir) muchas ofertas, no las (6) _____ (aceptar). Tu abuelo siempre ha sido el único hombre para mí.

NIETO: Abuelita ¿asististe a la universidad?

DOÑA ESTELA: No, pero si yo (7) _____ (asistir) a la universidad, (8) _____ (estudiar) idiomas. Los idiomas me fascinan.

NIETO: Abuelita ¿de niña conociste a alguna persona famosa?

DOÑA ESTELA: No, pero si yo (9) _____ (poder), yo (10) _____ (conocer) a Evita Perón. Ella me parecía una mujer fascinante.

3.23 ¿Qué hubieras hecho tú? Felicia le cuenta a su hermano Lucas todos los problemas que tuvo cuando visitó a sus tíos en el campo. Su hermano tiene muchas ideas sobre lo que él habría hecho. Completa su conversación con el subjuntivo del imperfecto o el condicional perfecto, según sea necesario.

FELICIA: Me gustó la experiencia, pero trabajé mucho. Mis tíos me levantaron todos los días a las cuatro de la mañana.

LUCAS: Si mis tíos (1) _____ (levantarme) tan temprano, yo los (2) _____ (ignorar).

FELICIA: Lo más difícil fue trabajar al sol. Hacía mucho calor.

LUCAS: Si yo (3) _____ (tener) que trabajar en el calor, creo que (4) _____ (morirse).

FELICIA: Además del calor, el abono olía *(the fertilizer smelled)* horrible y lo tenía que tocar con las manos.

LUCAS: Si ellos me (5) _____ (pedir) tocar ese abono, yo les (6) _____ (decir) que no.

FELICIA: Trabajamos todo el día. Cuando llegaba la noche, yo estaba muy cansada.

LUCAS: Si yo (7) _____ (trabajar) desde las cuatro de la mañana, (8) _____ (tomar) una siesta toda la tarde.

3.24 **Muy diferente** Completa las oraciones explicando cómo habría sido diferente tu vida si las circunstancias hubieran sido diferentes. Atención al uso del condicional y el imperfecto del subjuntivo.

1. Si hubiera vivido en otra época, _____.

2. Si hubiera crecido en un pueblo / una ciudad, _____.

3. No habría asistido a esta escuela si _____.

4. No habría estudiado español si _____.

5. Si hubiera tenido la oportunidad, _____.

¡Hora de escribir!

3.25 **Si pudiera** A magazine has asked its readers the question: **¿Dónde viviría si pudiera vivir en cualquier** *(any)* **lugar del mundo?** Write an email telling the magazine's editors where you would live, and why.

Paso 1 Decide where you would live and then, on a separate piece of paper, jot down several reasons why you would live there. Write down a few ideas about how your life might be different.

Paso 2 Write your email using the information you generated in **Paso 1.** Be sure to provide details as to how your life would be different if you lived there using **si** clauses and the appropriate verb tenses.

_____

_____

_____

_____

_____

_____

_____

_____

_____

Paso 3 Edit your email:

1. Is your email logically organized?

2. Are there any short sentences you could combine?

3. Did you use the appropriate verb tenses correctly?

4. Are all words spelled correctly and do verbs agree with their subjects?

¡Hora de escuchar! 1

3.26 **¿Qué es?** Vas a escuchar varias definiciones. Para cada una, identifica la palabra de la que se está hablando.

3-1

1. _____

2. _____

3. _____

4. _____

5. _____

3.27 **¿Dónde están?** Vas a escuchar algunos comentarios. Indica dónde están las personas.

3-2

1. **a.** una granja   **b.** un monumento   **c.** un rascacielos

2. **a.** una fábrica   **b.** un quiosco   **c.** un barrio

3. **a.** un huerto   **b.** una colonia   **c.** un pueblo

4. **a.** un rascacielos   **b.** un embotellamiento   **c.** un monumento

5. **a.** un huerto   **b.** una colonia   **c.** un rancho

6. **a.** un rascacielos   **b.** una fábrica   **c.** un embotellamiento

3.28 **Preguntas** Vas a escuchar varias preguntas. Para cada una, indica la respuesta más lógica.

3-3

1. **a.** el asfalto   **b.** el ruido   **c.** el crimen

2. **a.** Están sembrando.   **b.** Están ahuyentando.   **c.** Están atrayendo.

3. **a.** el tráfico   **b.** la carencia de empleos   **c.** las afueras

4. **a.** Crían ganado.   **b.** Atraen más habitantes.   **c.** Ahuyentan animales.

5. **a.** urbanizar más   **b.** ser cosmopolita   **c.** un buen sistema de transporte público

¡Hora de escuchar! 2

3.29 **Datos** Escucha la información sobre algunas ciudades y decide si las oraciones son ciertas o falsas.
Corrige las oraciones falsas.

1. Cierto   Falso   La Ciudad de México tiene el mayor número de museos. _____
   _____

2. Cierto   Falso   Madrid tiene tantos habitantes como Barcelona. _____
   _____

3. Cierto   Falso   La Habana es la ciudad más vieja de Cuba. _____
   _____

4. Cierto   Falso   Los turistas gastan más dinero en Buenos Aires que en Ecuador. _____
   _____

5. Cierto   Falso   El metro de Caracas en Venezuela es tan viejo como el de Buenos Aires. _____
   _____

3.30 **De la ciudad a un pueblo** Graciela es una escritora que acaba de mudarse de una ciudad a un
pueblo. Escucha mientras habla de las diferencias y elige la conclusión correcta para cada oración.

1. Para Graciela...

   a. es más difícil trabajar en el pueblo.   **b.** es más fácil trabajar en el pueblo.

2. En el pueblo hay...

   a. muchos negocios.   **b.** pocos negocios.

3. La casa cuesta...

   a. más que el apartamento.   **b.** tanto como el apartamento.

4. Graciela tiene...

   a. menos amigos en el pueblo que en la ciudad.   **b.** más amigos en el pueblo que en la ciudad.

5. Graciela quiere...

   a. regresar a la ciudad.   **b.** quedarse en el campo.

3.31 Consejos Tu tío Eduardo siempre tiene un consejo para todos. Escucha los problemas de sus
amigos y las recomendaciones de tío Eduardo. Decide si cada consejo es lógico o no.

3-6

1. lógico ilógico

2. lógico ilógico

3. lógico ilógico

4. lógico ilógico

5. lógico ilógico

3.32 Un nuevo puesto Jorge, el hermano mayor de un amigo, vive en un pueblo pequeño y acaba de
solicitar un trabajo en la ciudad. Escucha mientras habla de lo que hará si consigue el nuevo puesto.
Indica todas las ideas que menciona.

3-7

Si consigue el trabajo...

1 _____ buscará un apartamento.

2. _____ comprará un condominio.

3. _____ irá al teatro.

4. _____ visitará los museos.

5. _____ comerá en buenos restaurantes.

6. _____ su novia estará muy contenta de mudarse con él.

7. _____ le pedirá matrimonio a su novia.

3.33 Si fuera yo Aurelio vive en un pueblo en Andalucía y ahora tiene la oportunidad de ir a estudiar
arte en Madrid. Escucha los comentarios de sus amigos y decide cómo terminaría cada uno la frase:
Si fuera yo...

3-8

1. _____ Marisela   **a.** no podría estudiar.

2. _____ Renata   **b.** no iría a Madrid.

3. _____ Luis   **c.** iría a los museos.

4. _____ Octavio   **d.** me quedaría a vivir en Madrid.

5. _____ Elisa   **e.** tendría un poco de miedo.

◀)) **3.34** **La atracción de los opuestos** Laura quiere mucho a su amigo René, pero ellos son muy
3-9 diferentes. Escucha las reacciones de Laura mientras René cuenta lo que hizo en sus vacaciones.
Luego decide qué habría hecho Laura.

1. Si hubiera ido a Nueva York, Laura...

   a. habría manejado un auto.   **b.** habría caminado.

2. Si hubiera visitado Nueva York, Laura...

   a. habría comido en el parque.   **b.** habría disfrutado de los restaurantes de la ciudad.

3. Si un desconocido le hubiera hablado, Laura...

   a. habría tenido cuidado.   **b.** habría salido con él.

4. Si alguien le hubiera ofrecido comida, Laura...

   a. lo habría besado.   **b.** no la habría aceptado.

5. Si se hubiera enamorado a primera vista, Laura...

   a. habría aceptado viajar para ver otra vez a la persona.   **b.** habría mantenido una relación a larga distancia.

Redacción

How does life in the country differ from life in the city? On a separate piece of paper, write a comparison/contrast
essay about one aspect of country and city life, describing the similarities and differences between the two places.

Paso 1 Pick an element of urban and rural life you wish to analyze, such as food, people, housing,
safety, or entertainment. Brainstorm ideas related to your topic, using a Venn diagram to note similarities
and differences. Then decide how to organize your paper: either compare and contrast each characteristic
separately or discuss all of the similarities together and then all differences.

Paso 2 Write your essay using the information you brainstormed in **Paso 1**. Include: an introduction to
your topic and an explanation of why you feel it is important; comparisons of the different characteristics of
your topic with concrete examples; and a conclusion derived from your analysis.

Paso 3 Edit your essay:

      1. Is your paper clearly organized?

      2. Do you transition smoothly from one idea to the next?

      3. Have you elaborated on the similarities and differences?

      4. Do you correctly use comparative structures and the subjunctive when necessary?

      5. Did you check spelling and for adjective and subject-verb agreement?

CAPÍTULO 4 Sigue el ritmo

Practica el vocabulario

4.1 **¿Lo sabes?** Relaciona cada definición con la palabra que se define.

1. _____ Evento musical en una sala con público   **a.** el ensayo

2. _____ Práctica para un espectáculo   **b.** el estribillo

3. _____ Serie de conciertos en diferentes lugares   **c.** el conservatorio

4. _____ Parte de una canción que se repite varias veces   **d.** la gira

5. _____ Personas que cantan en una iglesia   **e.** el concierto

6. _____ Lugar donde se estudia la música   **f.** el coro

4.2 **La premiación** Completa el reporte que Mariana le da a una amiga sobre los premios regalados a los mejores cantantes del año. Usa las palabras más lógicas de la lista.

álbum	**canciones**	**coreografía**	**público**
balada	**canto**	**géneros**	**radio**
batería	**concierto**	**orquesta**	**violín**

¡El evento fue grandioso! Lo transmitieron por (1) _____ y por televisión. Dieron premios para

todos los (2) _____ musicales. Nuestro cantante favorito interpretó una (3) _____

romántica muy bonita. También tocó el (4) _____ . Después presentaron el nuevo

(5) _____ de la artista Shakira, quien bailó y cantó en el evento. Ella, como siempre, entretuvo

al (6) _____ con una (7) _____ excelente. Finalmente, terminó con una composición

para (8) _____ usando un estilo clásico. El evento tuvo mucho éxito.

4.3 **Categorías** Escribe las palabras de la lista debajo del título de la categoría que corresponda. Algunas de las palabras no forman parte del vocabulario de este capítulo, pero son cognados o tienen una traducción.

la armonía	**el estribill**o	**las maracas**
la batería	**la flauta**	**la ópera**
el bajo	**la folclórica**	**el tambor** (*drum*)
el clarinete	**la guitarra**	**la trompeta**
la clásica	**la letra**	**el violín**

Género de música

_____

_____

_____

Instrumento de viento

_____

_____

_____

Instrumento de cuerdas

_____

_____

_____

Instrumento de percusión

_____

_____

_____

Componente de una canción

_____

_____

_____

4.4 **Ideas equivocadas** Encuentra la palabra equivocada en cada afirmación y escríbela en la primera línea. En la segunda línea escribe la palabra que completaría la afirmación lógicamente.

Modelo Se le llama ensayo a una canción que está en los primeros lugares de popularidad.
Palabra equivocada: *ensayo*
Palabra lógica: *éxito*

1. La armonía es el nombre que se le da a las palabras de una canción.

Palabra equivocada: _____

Palabra lógica: _____

2. Para ser un buen cantante, hay que ser desafinado.

Palabra equivocada: _____

Palabra lógica: _____

3. Si quieres dar una buena interpretación, necesitas tararear mucho.

Palabra equivocada: _____

Palabra lógica: _____

4. Para ser un buen músico, necesitas un buen éxito.

Palabra equivocada: _____

Palabra lógica: _____

5. El músico siempre ensaya mucho antes de entrar en el estudio para hacer la apreciación.

Palabra equivocada: _____

Palabra lógica: _____

6. El público compone la música y la letra de sus canciones.

Palabra equivocada: _____

Palabra lógica: _____

4.5 **No pertenece.** Para cada grupo de palabras, decide cuál no pertenece.

1. el conservatorio	el ensayo	la grabación	el concierto
2. pegajoso	culto	popular	exitoso
3. el canto	el piano	el clarinete	la trompeta
4. la voz	el disco	el disco compacto	la grabación
5. la balada	la serenata	la canción	el estribillo
6. tocar	interpretar	componer	presentarse

4.6 **La música y yo** Completa las oraciones con tus opiniones.

1. Mi música favorita es _____.

2. Me gustaría tocar _____.

3. Si no hubiera radio _____.

4. La música es importante porque _____.

5. Los cantantes hispanohablantes que conozco son _____.

Practica la gramática 1

The uses of **se**

4.7 **¿Cómo se hace?** Un productor de música les da consejos a algunos músicos para que tengan éxito en su carrera. Completa sus consejos con los verbos en parentésis usando el **se** pasivo o impersonal.

1. Para lograr que una canción se haga popular, _____ (escribir) un estribillo muy pegajoso.

2. Para ser un artista consistente, _____ (ensayar) todos los días.

3. Para no enojar a los admiradores, _____ (firmar) autógrafos.

4. Para mantener una voz sana, _____ (descansar) de vez en cuando.

5. Para lograr que el público siga interesado, _____ (hacer) una gira.

6. Para recibir más atención en la radio, _____ (dar) entrevistas con frecuencia.

4.8 **Entrevista** Un locutor de radio va a tener su primera entrevista con un cantante famoso. Completa la lista de ideas que le da su jefe para asegurarse de que será una buena entrevista. Usa el **se** impersonal o pasivo.

Para tener una entrevista exitosa...

1. _____ (leer) la biografía del artista.

2. _____ (escuchar) los éxitos más recientes del artista.

3. _____ (saber) todas las fechas y ciudades de la gira que viene.

4. _____ (aprender) sobre los gustos musicales del artista.

5. _____ (investigar) la vida personal del artista.

6. _____ (preguntar) sobre sus próximos álbumes.

Nombre _____ Fecha _____

4.9 **Se hace así.** Omar está comenzando su carrera como cantante y busca en Internet algunos consejos para tener éxito y los escribe. Usando el **se** impersonal o pasivo escribe cinco consejos que pueden estar en su lista.

   Modelo   *Se usa ropa moderna.*

1. _____

2. _____

3. _____

4. _____

5. _____

4.10 **La competencia** El sábado hubo una competencia en la Academia de Música. Desafortunadamente, varios de los competidores tuvieron problemas ese día. Usando el **se** accidental y el verbo indicado, explica lo que les pasó.

1. A Regina _____ (olvidar) la letra de la canción.

2. A Sergio y a Caro _____ (perder) el disco con su música.

3. A Yago _____ (romper) varias cuerdas de su guitarra.

4. A Francisco _____ (caer) el violín y _____ (romper).

5. A Esmeralda y a María _____ (descomponer) la grabadora.

6. José pasó tanto tiempo preparándose que _____ (acabar) el tiempo antes de terminar su canción.

4.11 **Una mala entrevista** La entrevista que hizo el locutor de radio no fue muy exitosa. Usa los elementos dados para escribir oraciones completas que expliquen por qué fracasó la entrevista. **¡OJO!** En cada oración hay un verbo que requiere el **se** accidental y un verbo que no lo necesita.

   Modelo   el cantante / perder las llaves del auto / y salir de la casa tarde
   Al cantante se le perdieron las llaves del auto y salió de la casa tarde.

1. el cantante / quedar la dirección de la estación de radio en casa / y perderse

_____

2. el locutor / olvidar el nombre del cantante / porque ponerse nervioso

_____

3. el locutor / descomponer el reproductor de discos compactos / y no poder poner su música

_____

4. el cantante / caer un vaso en el pie / y no poder caminar fácilmente

_____

5. el cantante y el locutor / apagar las luces / e interrumpir la entrevista

_____

6. el cantante y el locutor / acabar el tiempo / porque tener muchos problemas

_____

4.12 **Preguntas personales** Contesta las siguientes preguntas usando el **se** accidental. Explica tu respuesta con detalles como en el modelo.

> **Modelo**   ¿Alguna vez se te ha acabado la gasolina?
> *Una vez se me acabó la gasolina cuando iba a la escuela. Tuve que llamar a mi mamá y llegué tarde a la escuela. / Nunca se me ha acabado la gasolina. No me gusta conducir con poca gasolina.*

1. ¿Alguna vez se te ha perdido algo importante? _____

   _____

2. ¿Alguna vez se te ha roto algo que no era tuyo? _____

   _____

3. ¿Alguna vez se te ha quedado una tarea importante en casa? _____

   _____

4. ¿Alguna vez se te ha descompuesto tu auto? _____

   _____

5. ¿Alguna vez se te ha olvidado una fecha importante? _____

   _____

Practica la gramática 2

The passive voice

4.13 **Amor brujo** Usando los elementos indicados escribe oraciones sobre la pieza clásica *Amor brujo.* ¡OJO! Los participios se refieren a **la pieza.**

> **Modelo**   1914 / componer / Manuel de Falla
> *En 1914 la pieza fue compuesta por Manuel de Falla.*

1. 1915 / comisionar / la bailarina de flamenco Pastora Imperio

   _____

2. 1915 / presentar en el Teatro Lara en Madrid

   _____

3. 1916 / revisar para una orquesta

   _____

4. 1925 / transformar en un ballet pantomímico

   _____

5. 1986 / convertir en película / el director Carlos Saura

   _____

4.14 **Momentos clave** Completa la biografía del grupo de rock Maná con la voz pasiva. Usa los verbos entre paréntesis.

En 1975, los primeros integrantes *(members)* de Maná se juntan para tocar la música de sus grupos favoritos. En 1981 (1) _____ (grabar) su primer disco con el nombre de "Sombrero Verde". En los años ochentas el rock en español (2) _____ (promover) por diferentes disqueras *(record companies)*. En esos años el nombre del grupo (Sombrero Verde) (3) _____ (cambiar) a Maná. El nombre del grupo (4) _____ (elegir) por el significado que tiene la palabra en polinesio: energía positiva. El grupo empezó a participar en muchos conciertos nacionales e internacionales. En 1992 (5) _____ (grabar) la canción "¿Dónde jugarán los niños?", grabación que se convirtió en uno de los discos más vendidos en la historia de la música de Latinoamérica. En 1993 la globalización de Maná se inició con una gira que los llevó a más de 17 países donde el grupo (6) _____ (recibir) con mucho entusiasmo y le trajo fama mundial. Las canciones que cantaron durante esos conciertos (7) _____ (recopilar *to compile*) y conformaron su siguiente disco. En 1998, Maná (8) _____ (nominar) por segunda vez a un Grammy, pero no fue sino hasta 1999 que les (9) _____ (otorgar *to give*) el premio. A partir de entonces inició otra década de éxitos para este grupo de rock mexicano, que también (10) _____ (invitar) a grabar con otros músicos reconocidos, como Carlos Santana.

4.15 **Es decir** Los siguientes son algunos logros en el campo de la música en español. Cambia las oraciones de la voz activa a la voz pasiva como en el modelo. Atención a los tiempos verbales.

Modelo En 2008 los seguidores *(fans)* del cantautor argentino Facundo Cabral lo nominaron para el Premio Nobel de la Paz.
En 2008 Facundo Cabral fue nominado para el Premio Nobel de la Paz por sus seguidores.

1. En los Latin Grammys de 2011 el grupo puertorriqueño Calle 13 ganó el premio por Álbum del Año.

_____

2. Más de 10 artistas han grabado la canción mexicana "Bésame mucho", incluyendo a Los Beatles, Andrea Bocelli y Michael Bublé.

_____

3. Joaquín Turina compuso la "Sinfonía Sevillana" en 1920.

_____

4. En 2014 FIFA eligió la canción "Ole Ola" de Jennifer López, Cláudia Leite y Pitbull como la canción oficial de la Copa Mundial en Brasil.

_____

5. Los grupos musicales Wisin y Yandel y Daddy Yankee popularizaron el reggaetón.

_____

6. Los músicos de los barrios pobres de Nueva York crearon la música que se conoce hoy como la salsa.

_____

4.16 Curiosidades sobre grupos musicales Vas a leer un poco de información sobre varios aspectos de la música latina. Completa la última oración con la información y la voz pasiva.

1. La Oreja de Van Gogh (LOVG) ha conseguido vender más de ocho millones de discos y convertirse en el grupo español con mayor nivel de ventas en la primera década del siglo XXI. En otras palabras, más de 8 millones de discos de LOVG _____ entre los años 2000 y 2010.

2. El álbum *Independiente* de Ricardo Arjona contiene 13 canciones que el cantautor escribió durante 4 años. En otras palabras, todas las canciones en el álbum _____ por él mismo.

3. Cuando Consuelo Velázquez, la autora de "Bésame mucho", escribió esa canción, ella nunca había besado a nadie. En otras palabras, Consuelo nunca antes _____.

4. En Los Ángeles en el año 2005 abrieron una estación de música que presenta en español e inglés, o "spanglish". En otras palabras, en Los Ángeles _____ una estación que usa los dos idiomas a la vez.

5. En el país de Cuba en el año 2012, prohibieron la música reggaetón por su letra controvertida. En otras palabras, el reggaetón _____.

6. La música salsa combina influencias musicales de África y de las Américas. En otras palabras, varias influencias musicales de África y de las Américas _____ en la música salsa.

4.17 ¿Qué sabes? Combinan las frases de las dos columnas para crear oraciones completas. Después, pon los verbos en la voz pasiva.

1. _____ El primer disco de Enrique Iglesias

2. _____ El concierto con la mayor audiencia de Latinoamérica

3. _____ El rockero argentino Charly García

4. _____ La fundación Pies Descalzos

5. _____ El cantante Juanes

6. _____ La música reggaetón

a. _____ (fundar) por Shakira para ayudar a los niños pobres en su país.

b. _____ (prohibir) en Cuba en 2012.

c. _____ (organizar) en La Habana, Cuba.

d. _____ (llamar) "Enrique Iglesias".

e. _____ (homenajear *to honor*) por un grupo de pianistas que grabó sus canciones en un CD.

f. _____ (invitar) muchas veces a tocar para el presidente de Argentina.

4.18 **Mi música** Completa la primera oración con el nombre de un cantante o un grupo musical. Luego contesta las preguntas usando la voz pasiva.

Uno de mis cantantes/grupos favoritos es _____

1. ¿Lo han nominado por un Grammy? _____

   _____

2. ¿Cuándo lanzaron su primer álbum? _____

   _____

3. ¿Cómo llamaron a su primer álbum? _____

   _____

4. ¿Ha escrito sus propias (own) canciones? _____

   _____

5. ¿Quién lo ha entrevistado? _____

   _____

Practica la gramática 3

Comparing the past participle with **estar** and with **ser**

4.19 **Ahora** Lee la información sobre algunos cantantes hispanos y completa las oraciones con la forma apropiada del verbo **estar** y el participio del verbo indicado. **¡OJO!** Los verbos recíprocos o reflexivos no necesitan el pronombre **se** cuando se convierten en participios.

Modelo: Alex Cuba se casó con una canadiense e inmigró a Canadá. Ahora ellos *están casados* (casarse).

1. Miguel Ríos anunció que se jubilaba del rock. Ahora él _____ (jubilarse).

2. Miguel Bosé, un cantante con las nacionalidades española, panameña e italiana, se hizo también ciudadano

   de Colombia. Ahora él _____ (nacionalizarse) colombiano.

3. Mercedes Sosa falleció en el 2009. Ahora ella _____ (morir).

4. Chayanne se casó con una mujer de Venezuela. Chayanne _____ (casarse).

5. Celia Cruz siempre cantó en español. Sus canciones _____ (grabar) en español.

6. La Chica Dorada, Paulina Rubio, tuvo su primer hijo en 2010, pero poco después se rumoró que había

   problemas en su matrimonio. Ahora _____ (divorciarse) del español Nicolás Vallejo-Nágera.

7. Unos de los álbumes de Enrique Iglesias se produjeron en inglés y español. _____
   (componer) de canciones en los dos idiomas.

8. Juanes estableció una fundación para advertirle a la gente sobre los peligros asociados con las minas

   antipersonales (land mines). Juanes _____ (preocupar) por estos peligros.

4.20 **Confirmaciones** El editor de una revista de chismes de personas famosas está verificando la información que recibió. Responde las preguntas utilizando el verbo **estar** y el participio que sea necesario.

Modelo ¿Puedes confirmar si Jenni Rivera murió en un accidente de avión?
Sí, desafortunadamente ella *está muerta*.

1. ¿Es cierto que el grupo Los Tigres del Norte se separaron?

No, ellos no _____.

2. ¿Es verdad que Alejandra Guzmán se casó?

Sí, Alejandra Guzmán _____.

3. ¿Es cierto que Juanes ha programado una gira para este verano?

No, todavía no _____.

4. ¿Es verdad que Shakira se casó con Gérard Piqué?

No, Shakira no _____ con él.

5. ¿Es cierto que Don Omar y Lucenzo grabaron una canción en inglés?

No, su canción _____ en español y portugués.

6. ¿Es verdad que Marc Anthony y Pitbull escribieron una canción juntos?

Sí _____, y planean escribir otra canción juntos.

_____

4.21 **¿Sabes?** Menciona algo o alguien que encaje (*fits*) con la descripción. ¡**OJO** con la concordancia!

Modelo hecho de madera (instrumento) *La guitarra está hecha de madera.*

1. compuesto de mujeres (grupo) _____

2. interpretado por varias personas (canción) _____

3. escrito en español (canción) _____

4. divorciado (cantante) _____

5. grabado en dos idiomas (álbum) _____

6. preparado para grabar un nuevo álbum (cantante) _____

4.22 **¿Acción o estado?** Decide a qué imagen se refieren las oraciones y escribe la letra que corresponde. Presta atención a la diferencia entre el resultado de una acción y el estado.

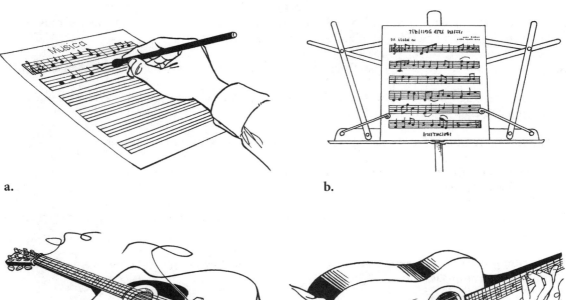

a.

b.

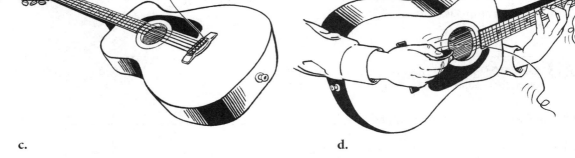

c.

d.

1. _____ La música está escrita.

2. _____ La música fue escrita.

3. _____ La canción fue interpretada.

4. _____ La cuerda está rota.

5. _____ La cuerda fue rota.

4.23 **¿Ser o estar?** Completa cada oración con la forma apropiada del verbo **ser** o **estar.**

1. El disco (estuvo / fue) grabado en solo diez sesiones.

2. Jarabe de Palo, quien tiene un video junto con Alanis Morissette, ha hecho canciones para Ricky Martin y también (ha estado / ha sido) nominado para varios Latin Grammys.

3. La canción "Jueves" (está / es) basada en el atentado terrorista a los trenes de Madrid en el 2004.

4. Se dice que Wisin y Yandel han contactado a Belinda porque (están / son) interesados en grabar una canción con ella.

5. La canción "A Dios le Pido" (es / está) conocida por su mensaje sobre sus deseos.

6. Don Omar y Lucenzo interpretaron una canción que se llama "Danza Kuduro" que (es / está) grabada en español y portugués.

7. La famosa jugadora de tenis rusa, Anna Kournikova, (fue / estuvo) seleccionada para participar en uno de los videos de Enrique Iglesias.

8. Los ritmos de la salsa vienen de una combinación de instrumentos que (es / está) compuesta de tambores africanos y trompetas latinas.

4.24 **Lo mío** Completa las oraciones de una forma original. Luego, según la oración, decide qué verbo la completa mejor.

1. Mi canción favorita (está / fue) grabada _____.

2. Nunca he (estado / sido) interesado en _____.

3. (Estoy / Soy) acostumbrado a _____.

4. Mi libro favorito (está / fue) escrito _____.

5. Mi cuarto (está / fue) decorado _____.

¡Hora de escribir!

4.25 **La mejor canción** A local radio station has asked listeners to send an email telling what their favorite song is and why.

Paso 1 Think of a song you like and brainstorm some information about it. Include answers to the following questions: Who sings it? Did the artist write the song? What album is it on? When was it released? What is the message of the song? Why do you like it?

Paso 2 Using the information you generated in **Paso 1,** write your email. Be sure to provide as many details as possible.

_____

_____

_____

_____

_____

_____

_____

_____

_____

_____

_____

_____

_____

_____

Paso 3 Edit your email:

    1. Is your paragraph logically organized?

    2. Are there any short sentences you could combine?

    3. Did you use **ser** and **estar** accurately?

    4. Do the verbs agree with their subjects?

    5. Did you spell everything correctly?

¡Hora de escuchar! 1

🔊 **4.26** **Descripciones** Vas a escuchar los comentarios de varios amigos. Para cada uno indica la
4-1   conclusión que corresponda.

1. **a.** ¡Qué desafinado!   **b.** ¡Qué entonado!

2. **a.** Hubo una serenata.   **b.** Hubo una coreografía.

3. **a.** Dirige conciertos.   **b.** Tararea canciones.

4. **a.** Solo tocan guitarras.   **b.** Solo tocan la batería.

5. **a.** Está en el conservatorio.   **b.** Asiste a un concierto.

🔊 **4.27** **Definiciones** Vas a escuchar la definición de varios conceptos. Decide a cuál se refiere cada
4-2   definición.

1. **a.** violín   **b.** flauta   **c.** trompeta   **d.** piano

2. **a.** ensayo   **b.** coro   **c.** conservatorio   **d.** ópera

3. **a.** música country **b.** música folclórica **c.** música clásica **d.** música pop

4. **a.** música country **b.** el rap   **c.** hip hop   **d.** música pop

5. **a.** canto   **b.** cantautor   **c.** grabación   **d.** coro

---

🔊 **4.28** **Preguntas y respuestas** Para cada una de las preguntas que vas a escuchar, indica la respuesta.
4-3   No vas a usar todas las respuestas.

1. _____   **a.** instrumental

2. _____   **b.** una gira

3. _____   **c.** componerla

4. _____   **d.** a la orquesta

5. _____   **e.** tararearla

                     f. el bajo

Pronunciación

The letters "s" and "z" can cause pronunciation problems for English learners when they see them in Spanish words. The only difference between the sounds /s/ and /z/ is that the vocal cords are used to pronounce /z/ (it is "voiced"). In English, the letter "s" may be pronounced as [s] as in *sew* or [z] as in *present;* the [z] is used when the letter "s" occurs between two vowels (consider *music, raise,* and *easy*). However, this [z] between vowel sounds is not used in Spanish; the [s] sound is used when "s" appears between two vowels, as in **música.** The only time a [z] sound is used in Spanish is when "s" appears before a "voiced" consonant (for example, "b," "g," "m," "n") as in **realismo** or **rasgo.**

Spelling conventions can also be misleading when pronouncing words. When the letter "z" appears in Spanish, it is pronounced as [s] in most dialects, so **taza** and **López** are phonetically pronounced *tasa* and *Lópes.* Additionally, "c" in front of "i" or "e" is pronounced as [s], as in **apreciación.** The exception to this use of the [s] sound (when written as "z" or "c") occurs in northern and central Spain, where "z", as well as "c" in front of "i" or "e", is pronounced similarly to the English "th" in **thin.**

 4.29 **/s/** Decide cómo se deben pronunciar las letras en negritas. Luego escucha la grabación y repite las
4-4 palabras imitando la pronunciación que oyes.

1. pega**j**oso

2. ja**zz**

3. di**s**co

4. can**c**ión

5. percu**s**ión

6. **s**erenata

7. apre**c**iación

8. la vo**z**

9. **c**oncierto

10. pre**s**entarse

¡Hora de escuchar! 2

🔊 **4.30 Para tener éxito** Horacio trabaja para una disquera *(record company)* que está buscando
4-5   nuevos talentos, y habla de lo que se tiene que hacer para tener éxito en la industria. Escucha sus
        recomendaciones e indica cuáles de las siguientes ideas menciona.

1. _____ Se toman clases para refinar la voz.

2. _____ Se crea una imagen de acuerdo con su música.

3. _____ Se sube su música al Internet.

4. _____ Se conoce a otras personas en la industria de la música.

5. _____ Se muestra una buena actitud.

6. _____ Se consigue un representante.

7. _____ Se negocia un buen contrato.

🔊 **4.31 Martes 13** Hoy es día de mala suerte y parece que Griselda ha tenido muy mala suerte hoy. Dio un
4-6   concierto pero nada le fue bien. Escucha mientras cuenta lo que ocurrió y decide si las oraciones son
        ciertas o falsas. Escribe una corrección para las oraciones falsas.

1. Cierto   Falso   Se le perdieron las llaves del auto. _____

   _____

2. Cierto   Falso   Se le quedó la guitarra en su habitación. _____

   _____

3. Cierto   Falso   Se le rompió el tacón *(heel)* de su zapato. _____

   _____

4. Cierto   Falso   Se le descompuso el micrófono durante el concierto. _____

   _____

5. Cierto   Falso   Se apagaron las luces. _____

   _____

4.32 **¿Quién?** Escucha la información sobre varios artistas y relaciona las actividades de la segunda columna con cada persona.

4-7

1. _____ Jennifer López

2. _____ Juanes

3. _____ Pitbull

4. _____ Shakira

5. _____ Selena

a. Fue conmemorada con una estampilla *(stamp)*.

b. Le fue otorgado *(given)* el premio por el Álbum del Año en los Latin Grammys en 2012.

c. Fue seleccionada para ser jueza *(judge)* en el programa *American Idol*.

d. Fue honrada como Personaje del Año en los Latin Grammys en 2011.

e. Fue invitado a cantar en el programa *American Idol*.

4.33 **Celia Cruz** Escucha la información sobre Celia Cruz. Luego elige la frase apropiada para completar la oración.

4-8

1. Celia Cruz empezó su carrera después de ganar...

   a. un concurso de la radio.

   b. un concurso de la tele.

2. Mientras estudiaba en el conservatorio...

   a. fue honrada por su talento.

   b. fue convencida a seguir su carrera.

3. El primer disco de Celia Cruz fue grabado...

   a. en 1948.

   b. en 1950.

4. Después de mudarse a los Estados Unidos Celia Cruz...

   a. fue recibida con mucho entusiasmo.

   b. fue invitada a formar parte de la Orquesta de Tito Puente.

5. Durante su carrera le fueron otorgados *(given)*...

   a. más de veinte premios.

   b. cuatro Latin Grammys.

4.34 **La farándula** Escucha las noticias sobre algunos artistas y decide si las siguientes conclusiones son ciertas o falsas.

4-9

1. Franco y Lisette están separados.	Cierto	Falso
2. El contrato de Bacalao ya está firmado.	Cierto	Falso
3. La gira de Giorgio ya está programada.	Cierto	Falso
4. Rosalinda está casada.	Cierto	Falso
5. Algunas canciones en el nuevo álbum de Josele están escritas en inglés.	Cierto	Falso

4.35 **El concierto** Escucha la entrevista con un cantante y elige la respuesta correcta para las siguientes preguntas.

4-10

1. ¿Por qué ha sido organizado el concierto?

   a. para promocionar un nuevo álbum   **b.** para recaudar dinero para una causa benéfica

2. ¿Qué tipo de artistas fueron invitados a participar?

   a. artistas de jazz   **b.** artistas de rock

3. ¿Para cuándo está programado el concierto?

   a. para el fin de semana   **b.** para junio

4. ¿Por qué será grabado el concierto?

   a. para un álbum   **b.** para un programa televisado

5. ¿Qué les será regalado a las personas que llamen?

   a. una camiseta   **b.** unos boletos

Redacción

Imagine you are a singer-songwriter and your first album has sold over a million copies. Write a short biography reflecting on your rise to fame.

Paso 1 First, decide who you are: How long have you been a singer-songwriter? What was your training and background? Who inspired you? What kind of songs do you write and in what genre? Do you play an instrument? Who is your audience? Then, write a timeline of the key events in your life that have led you to where you are.

Paso 2 Use the information you generated in **Paso 1** to write your autobiography. Make sure you introduce yourself, provide pertinent personal background, and mention the key moments in your life that led you to where you are today.

Paso 3 Edit your autobiography:

1. Is your essay logically organized?

2. Are there any short sentences you could combine?

3. Did you use the preterite and imperfect, passive voice, and **ser** and **estar** correctly?

4. Do the verbs agree with their subjects?

5. Did you spell everything correctly?

CAPÍTULO 5   El mundo literario

Practica el vocabulario

5.1 **Definiciones** Empareja la definición con la palabra que la explica.

1. _____ Es una historia más o menos larga, de ficción.

2. _____ Son las personas que aparecen en una obra literaria.

3. _____ Es una narración corta de una historia.

4. _____ Es semejante a una clase para personas que desean escribir.

5. _____ Es una versión de una obra en otro idioma.

6. _____ Contiene el diálogo que usan los actores en una película.

a. cuento

b. taller

c. novela

d. traducción

e. guion

f. personajes

5.2 **Ideas incompletas** Elige la palabra que mejor complete cada oración.

antología	capítulo	editorial	guionista	lectura	novela	portada
autor	desenlace	guion	lector	narrador	poemario	tema

1. Una _____ es una recopilación de la obra de varios autores.

2. Por favor, no me cuentes el _____ de esta novela porque quiero que sea una sorpresa.

3. El hábito de la _____ es muy bueno para los niños, porque aprenden nuevo vocabulario y mejoran su ortografía.

4. El arte que está en la _____ del libro fue diseñado por un artista famoso.

5. En muchos cuentos, la perspectiva del cuento viene del _____.

6. Una colección de poemas se llama un _____.

5.3 **¿Qué deben escribir?** A unos escritores les piden que escriban textos con las siguientes características. Para cada texto, decide qué tipo de obra debe escribir el escritor.

1. Necesitan la narración histórica de la vida de una persona importante. Quieren una obra _____.

   a. infantil   **b.** biográfica   **c.** de consulta

2. Quieren un libro para enseñarles algo a los niños. Desean _____.

   a. un ensayo   **b.** un drama   **c.** un libro didáctico

3. Les piden un libro que le interese al público adolescente. Es decir, quieren un libro _____.

   a. juvenil   **b.** de autoayuda   c. infantil

4. Prefieren una antología de textos en donde los autores hablen sobre temas políticos, sociales y de interés humano. Quieren una obra de _____.

   a. ficción   **b.** biográfica   **c.** ensayos

5. Les piden un libro que explique el significado de varios conceptos o palabras. Quieren un libro _____.

   a. de consulta   **b.** de autoayuda   **c.** de ficción

6. Quieren una obra que le explique a su público cómo tener éxito en su vida profesional. Es decir, desean un libro _____.

   a. de consulta   **b.** de autoayuda   **c.** de ficción

5.4 **No pertenece.** Observa los siguientes grupos de palabras y decide cuál no pertenece a cada grupo.

1. **a.** antología   **b.** novela   **c.** autor   **d.** poemario

2. **a.** trama   **b.** ortografía   **c.** desenlace   **d.** narrativa

3. **a.** guionista   **b.** obra   **c.** poeta   **d.** autor

4. **a.** superarse   **b.** imprimir   **c.** editar   **d.** publicar

5. **a.** revista   **b.** taller   **c.** relato   **d.** secuela

5.5 **Anatomía de un libro** Lee con cuidado cada oración e indica la palabra que la completa de manera lógica.

1. Los libros (de bolsillo / de pasta dura) se llevan fácilmente a cualquier lugar.

2. No se debe juzgar a un libro por su (editorial / portada).

3. Los libros (superan / aportan) ideas, entretenimiento y educación a los lectores.

4. En una novela, el (narrador / protagonista) es el personaje principal de la historia.

5. El (lector / autor) de una obra es la persona que la lee.

5.6 **Escritores** Responde las preguntas con tus respuestas personales.

1. Si quisieras escribir un libro, ¿qué tipo de libro te gustaría publicar? ¿Por qué? _____

_____

2. ¿Cuál fue el primer libro que recuerdas haber leído? ¿Por qué lo recuerdas? _____

_____

3. ¿Qué prefieres leer? ¿Por qué? _____

_____

4. ¿En qué formato prefieres leer? ¿Por qué? _____

_____

5. ¿Has leído algún libro que ha sido traducido? ¿Cuál? _____

_____

Practica la gramática 1

Relative pronouns

5.7 **Una familia de escritores** Elige el pronombre apropiado para cada oración.

1. Provengo de una familia en (la que / donde) hay muchos escritores.

2. Mi padre, (quien / que) es profesor de literatura, también escribe poemas.

3. Mis hermanas, a (quienes / que) les gustan los libros de autoayuda, leen libros de Pablo Coehlo.

4. Mi prima escribe para una revista (cual / que) tiene artículos sobre culturas precolombinas.

5. Mi tío, (quien / que) es poeta, tiene un poemario nuevo que va a publicarse muy pronto.

6. Yo asistí a un taller de escritura, (el cual / quien) fue dirigido por el poeta salvadoreño Jorge Galán.

5.8 **Conclusiones** Algunos estudiantes de una clase de literatura están haciendo comentarios. Elige la conclusión apropiada para sus oraciones.

1. Hay varios autores chilenos _____.

2. Es su hija _____.

3. Nunca pude entender el poema de Julia de Burgos, _____.

4. Tenemos que leer una novela _____.

5. La obra que más me gustó es _____.

a. el cual era muy complicado.

b. que fue escrita por Ángeles Mastretta.

c. que están incluidos en la antología.

d. quienes escriben en inglés y en español.

e. a quien le dedicó el libro.

f. la que escribió Pablo Neruda.

5.9 **¿Que o quien?** Lee las siguientes oraciones con atención y decide si necesitas usar el pronombre **quien, quienes** o **que**.

1. Don Quijote de la Mancha es la novela más conocida _____ escribió Miguel de Cervantes.

2. Dos de los autores _____ se conocen bien en los Estados Unidos son Isabel Allende y Gabriel García Márquez.

3. Los libros de Roberto Ampuero están llenos de suspenso y les gustan mucho a _____ les encantan las emociones fuertes.

4. ¿Has visto mi libro? Busco el _____ es de pasta dura.

5. Los dos autores_____ escribieron una antología sobre los trabajos del Siglo de Oro ya están muertos.

6. Me sorprende que mucha de la literatura juvenil tenga temas_____ son para adultos.

7. María Dueñas, _____ es profesora en la Universidad de Murcia, escribió *El tiempo entre costuras.*

8. Él es el editor con _____ yo trabajé para crear la antología.

5.10 **En una idea** Combina las dos oraciones en una usando un pronombre relativo (**que, quien** o **quienes**).

1. Compré un libro. El libro es de ficción histórica. _____

_____

2. Conozco a varios autores. Los autores publicaron sus libros el año pasado. _____

_____

3. Humberto es el personaje principal. La heroína se casa con él. _____

_____

4. Mi madre compró un libro electrónico. El libro electrónico es muy popular ahora. _____

_____

5. Conocí a Enrique Naula. Él es un novelista nuevo de Ecuador. _____

_____

6. Admiro a Pablo Neruda. Pablo Neruda es uno de los autores más reconocidos de Latinoamérica. _____

_____

5.11 Más ideas incompletas Completa las siguientes ideas de una manera lógica usando pronombres relativos. ¡Atención al uso del indicativo y el subjuntivo!

1. No he comprado libros _____.

2. Me encantan las novelas con un protagonista _____.

3. Una vez me subscribí a una revista _____.

4. Me encantan los libros _____.

5. _____ es un escritor _____.

5.12 Identificaciones Escribe una oración para identificar a cada una de las personas u obras. Usa un pronombre relativo en tus explicaciones.

   Modelo Dulcinea *Es la mujer de quien se enamoró Don Quijote.*

1. Ebenezer Scrooge _____.

2. Mark Twain _____.

3. Stephenie Meyer _____.

4. Hamlet _____.

5. Robin Hood _____.

6. Sherlock Holmes y el doctor Watson _____.

Practica la gramática 2

The pronouns **cuyo** and **lo que**

5.13 Cuyo Elige la forma apropiada de **cuyo** para completar cada oración.

1. Pablo Neruda es el poeta (cuyo / cuyas) odas están dedicadas a temas comunes, como los calcetines.

2. Gustavo Pérez Firmat es el escritor (cuyo / cuya) novela *El año que viene estamos en Cuba* fue nominada para un Premio Pulitzer.

3. *Cien años de soledad* es la novela (cuyo / cuya) protagonista es José Arcadio Buendía.

4. Roberto Ampuero es el autor de una serie de novelas (cuyo / cuyas) héroe es Cayetano Brulé.

5. Ilán Stavans es el profesor (cuyo / cuya) traducción del primer capítulo de *Don Quijote* en spanglish causó mucha controversia.

6. Enrique Naula, (cuyo / cuya) primera novela se llama *El Milagro de Montes de Oca*, es un joven escritor del Ecuador.

7. El Inca Garcilaso de la Vega es un autor (cuyo / cuyos) libros nos informan mucho sobre la cultura de los incas.

8. Alfonsina Storni, (cuya / cuyas) obras son famosas por toda Latinoamérica, fue una de las primeras mujeres en participar en el mundo de la literatura, dominado por los hombres en esa época.

5.14 Mi biblioteca Ricardo está presumiéndoles de *(bragging about)* su biblioteca personal a sus amigos. Completa el párrafo con las formas necesarias de **cuyo** (**cuyo, cuya, cuyos** o **cuyas**).

Tengo unos libros (1) _____ portadas fueron diseñadas por Picasso. También compré una edición limitada de un autor (2) _____ libros fueron prohibidos en los Estados Unidos. Mi posesión más preciada es una novela (3) _____ tema es el romance de Tristán e Isolda. Conozco a otro coleccionista (4) _____ colección contiene más de 500 primeras ediciones. No tengo tantas primeras ediciones pero tengo más de 20 libros (5) _____ primeras páginas contienen la firma del autor. El autor (6) _____ obras me gustan más es Gabriel García Márquez. Espero comprar más de sus libros autografiados.

5.15 Mis preferencias Completa las oraciones con la forma apropiada del pronombre **cuyo** y con el nombre de una persona.

1. El artista _____ obras me gustan es _____.
2. El autor _____ estilo de escribir no me gusta es _____.
3. El músico _____ canciones me encantan es _____.
4. La actriz _____ películas me fascinan es _____.
5. El diseñador _____ ropa me gusta es _____.
6. El poeta _____ poemas me gustan más es _____.

5.16 En otras palabras Varios estudiantes están opinando sobre la literatura. Lee sus comentarios y resúmelos en una oración usando **lo que**, como en el modelo.

Modelo Juan: Me molestan las novelas cursis *(corny)*.
Lo que le molesta a Juan son las novelas cursis.

1. Frida: Me gustan los poemas de Pablo Neruda. _____
_____

2. Remedios: Me interesan las autobiografías. _____
_____

3. Clemente: Me preocupa la desaparición de publicaciones literarias. _____
_____

4. Diego: Me parece triste que la gente no lea más. _____
_____

5. Pablo: Me falta tiempo para leer más. _____
_____

74 *¡Exploremos! Nivel 4* ■ **Student Activities Manual**

© 2018 Cengage Learning®. May not be scanned, copied or duplicated, or posted to a publicly accessible website, in whole or in part.

5.17 **Conclusiones lógicas** Escribe el pronombre que completa lógicamente cada una de las siguientes oraciones. Puedes repetir los pronombres.

Javier no encontró a nadie que publicara su libro, por (1) _____ se frustró y dijo que iba a

dedicarse a la fotografía. (2) _____ él no sabía es que su mejor amigo le había llevado su novela

a una editorial (3) _____ especialidad es publicar novelas de autores desconocidos.

La novela de Javier, (4) _____ tema es muy novedoso, le interesó mucho al dueño (*owner*)

de la editorial, (5) _____ le dijo al amigo que trajera a Javier a la editorial. Para sorprenderlo,

el amigo, (6) _____ conoce a Javier desde la niñez, lo invitó a almorzar en el mismo edificio

en (7) _____ está la editorial. (8) _____ Javier no sabía era que el dueño los estaba

esperando. El dueño le dijo a Javier que quería publicar el libro. Javier no podía creerlo. ¡Fue la mejor

sorpresa del año!

5.18 **Opiniones** Usando los verbos indicados, expresa tus opiniones sobre la lectura usando la expresión **lo que.**

    Modelo (gustar)
      Lo que me gusta es leer por la noche antes de acostarme.
      Lo que me gusta es una buena novela de suspenso.

1. (fascinar) _____

_____

2. (molestar) _____

_____

3. (encantar) _____

_____

4. (frustrar) _____

_____

5. (sorprender) _____

_____

6. (preocupar) _____

_____

Practica la gramática 3

Possessive adjectives and possessive pronouns

5.19 **La creatividad** Las siguientes escenas son de cuentos clásicos para niños. Complétalas eligiendo el adjetivo o el pronombre posesivo que mejor complete cada diálogo.

1. PRÍNCIPE AZUL: ¿De quién es esta zapatilla?

   HERMANASTRA: No es de Cenicienta porque (la suya / el suyo) es de cristal. Es (mía / mío).

2. LOBO FEROZ: ¿De quién es esa casa de ladrillos *(brick)*?

   CERDITO: No es (mío / mía) y tampoco es de mi hermano Pablito porque (la suya / los suyos) es de paja *(straw)*.

3. HANSEL Y GRETEL: ¿De quién son todos esos dulces que adornan la casa?

   BRUJA: Esos dulces no son (suyos / suyas) así que no se los coman; son (mía / míos).

4. RICITOS DE ORO: ¿De quién es esta cama tan cómoda?

   PAPÁ OSO: No es (mío / mía) y tampoco es de mi esposa. (El suyo / La suya) es muy blanda *(soft)*.

5. PRÍNCIPE: ¿Cuál ventana es (tuyo / tuya)?

   RAPUNZEL: (La mía / El mío) está a la derecha. ¡Pero cuidado porque la bruja también vive en la torre y la ventana a la izquierda es (suyo / suya)!

5.20 **Favoritos** El profesor de literatura quiere saber más sobre los gustos de sus estudiantes. Completa sus preguntas con la forma necesaria de los pronombres posesivos. **¡OJO!** Incluye el artículo definido necesario.

   Modelo Mi dramaturgo favorito es Antonio Skarmeta. ¿Quién es *el tuyo*, Sara?

1. Mi poeta favorito es Antonio Machado. ¿Quién es _____, Marita?

2. Mi libro favorito es *Cien años de Soledad*. ¿Cuál es _____, señora Gómez?

3. Mis novelas favoritas son las dramáticas. ¿Cuáles son _____, Leonardo?

4. Mis clases favoritas en la universidad fueron las de literatura. ¿Cuáles son _____, Hugo y Paco?

5. Eva, me dices que tu autora favorita es Carmen Naranjo. ¿Quieres saber quién es _____?

5.21 **Los siete enanitos** Blancanieves le pregunta a uno de los enanitos (*dwarfs*), Bonachón, de quiénes son varias prendas. Escribe sus respuestas usando los adjetivos posesivos tónicos.

Modelo ¿De quién es el pañuelo (*handkerchief*)? (Mocoso) *Es suyo.*

1. ¿De quién es la pijama? (Dormilón) _____

2. ¿De quién son los gorros? (Sabio y yo) _____

3. ¿De quién son las botas? (yo) _____

4. ¿De quién es el sombrero? (Tímido) _____

5. ¿De quiénes son estos calcetines? (Mudito y Sabio) _____

6. ¿De quiénes son estas camisetas? (Gruñón) _____

7. ¿De quién es esta corbata? (Dormilón) _____

8. ¿De quién es esta bufanda? (Mocoso) _____

5.22 **Escritores** El instructor de un taller literario les pidió ideas para varios tipos de obras a los participantes. Completa sus ideas con el pronombre posesivo necesario. Recuerda que los escritores hablan desde su punto de vista, o sea, de la primera persona.

MARCOS: En mi novela los campesinos luchan por una vida mejor.

ROSA MARÍA Y ANA: En (1) _____ los campesinos luchan para derrocar a un dictador.

MIRKA Y GISELA: En nuestros poemas hay tristeza y desesperación.

AURELIO: En (2) _____ hay alegría y esperanza.

RICARDO: En mi relato un niño abandonado encuentra a sus padres.

MARCOS: En (3) _____ un autor se vuelve loco por su genio.

LUCÍA: En el libro que escribo hablo mucho del valor de la paciencia.

MICAELA Y ROSA: En (4) _____ dos hermanos separados se encuentran otra vez.

EDUARDO: En la biografía que estoy escribiendo me enfoco en la niñez de Che Guevara.

TIMOTEO: En (5) _____ me enfoco en el matrimonio de Frida Kahlo y Diego Rivera.

5.23 ¿Y el tuyo? Responde a las preguntas sobre tus preferencias usando el pronombre posesivo tónico.

Modelo Mi profesor de literatura favorito es el profesor Díaz. ¿Y el tuyo?
La mía es la profesora Marcos.

1. Mi revista favorita es *Geografía Nacional*. ¿Y la tuya?

_____

2. Mi libro favorito es *La hija de la fortuna*. ¿Y el tuyo?

_____

3. Mi autor favorito es Mario Vargas Llosa. ¿Y el tuyo?

_____

4. Mi cuento de hadas favorito es *La bella y la bestia*. ¿Y el tuyo?

_____

5. Mis poemas favoritos son los de Pablo Neruda. ¿Y los tuyos?

_____

5.24 Preguntas personales Responde las preguntas usando los pronombre posesivos.

Modelo ¿De qué marca es el auto de tu familia? ¿Y el de tus vecinos?
El nuestro es un Honda y el suyo es un Ford.

1. ¿De qué color es tu auto/bicicleta? ¿Y el/la de tu mejor amigo?

_____

2. ¿Dónde está tu casa? ¿Y la de tu mejor amigo?

_____

3. ¿Cuál es tu deporte favorito? ¿Y el de tu mejor amigo?

_____

4. ¿Cuál es tu comida favorita? ¿Y la de tu mejor amigo?

_____

5. ¿Cuál es tu primera clase del día? ¿Y la de tu mejor amigo?

_____

¡Hora de escribir!

5.25 **Mi autor favorito** A magazine has asked readers to send an email telling who their favorite author is and why.

Paso 1 Think of an author you like and brainstorm some information about him/her. On a separate piece of paper, note answers to the following questions: What type of books does he/she write? What is his/her writing style (detailed, poetic, etc.)? What is your favorite book and why? In a sentence or two, what is the plot of your favorite book?

Paso 2 Using the information you generated in **Paso 1,** write your email. Be sure to provide as many details as possible.

_____

_____

_____

_____

_____

_____

_____

_____

_____

_____

_____

_____

_____

Paso 3 Edit your email:

1. Is your email logically organized?

2. Are there any short sentences you could combine using relative pronouns (**que, quien,** etc.)?

3. Did you use **ser** and **estar** accurately?

4. Do the verbs agree with their subjects?

5. Did you spell everything correctly?

¡Hora de escuchar! 1

5.26 **Libros** Escucha con atención y decide a qué se refiere cada comentario.

5-1

1. **a.** libro de bolsillo   **b.** libro de pasta dura   **c.** libro electrónico

2. **a.** libro rústico   **b.** libro de pasta dura   **c.** libro electrónico

3. **a.** ensayo   **b.** drama   **c.** poemario

4. **a.** ensayo   **b.** drama   **c.** poemario

5. **a.** la editorial   **b.** el narrador   **c.** el autor

---

5.27 **¿De qué hablan?** Vas a escuchar algunos comentarios sobre la literatura. Decide de qué están hablando en cada comentario.

5-2

1. _____   **a.** la trama

2. _____   **b.** el desenlace

3. _____   **c.** la secuela

4. _____   **d.** el personaje

5. _____   **e.** la traducción

           f. el tema

5.28 **Definiciones** Vas a oír varias definiciones en una clase de literatura. Escúchalas con atención y escribe la palabra del vocabulario a la que se refieren.

5-3

1. _____

2. _____

3. _____

4. _____

5. _____

6. _____

¡Hora de escuchar! 2

5.29 **Esmeralda Santiago** Escucha la información sobre la escritora Esmeralda Santiago y decide si las siguientes oraciones son ciertas o falsas. Escribe una corrección para las oraciones falsas.

5-4

1. Cierto   Falso   Esmeralda Santiago nació en los Estados Unidos. _____

_____

2. Cierto   Falso   Al comienzo de su carrera Santiago fue actriz en películas educativas. _____

_____

3. Cierto   Falso   Cuando tenía 46 años publicó su primer libro. _____

_____

4. Cierto   Falso   Su primera novela fue traducida a varios idiomas. _____

_____

5. Cierto   Falso   Ha escrito literatura infantil. _____

_____

5.30 **Autores hispanos** Escucha la información sobre varios autores hispanos y escoge la frase que mejor completa la oración.

5-5

1. Isabel Allende escribió *La casa de los espíritus*, la obra que...

   a. mostró su talento como escritora.   **b.** fue publicada en una revista para niños.

2. Gabriel García Márquez es conocido por sus obras en las cuales...

   a. critica la realidad.   **b.** combina la realidad y la fantasía.

3. Un poemario es la obra que...

   a. Julia Álvarez publicó primero.   **b.** llevó a Julia Álvarez al éxito.

4. Nicolás Guillén era un poeta que...

   a. escribió sobre la experiencia afrocubana.   **b.** también componía música.

5. Fue la obra *Azul* de Rubén Darío la que...

   a. influenció la poesía francesa.   **b.** inició un nuevo movimiento literario.

🔊
5-6

5.31 **Sus obras** Escucha mientras varias autoras hablan de sus obras. Luego escribe la letra de la descripción que corresponda a cada autora.

1. _____

2. _____

3. _____

4. _____

5. _____

a. Es la autora cuya obra incluye poesía.

b. Es la autora cuyos libros son para niños.

c. Es la autora cuyo libro es de autoayuda.

d. Es la autora cuyas novelas son autobiográficas.

e. Es la autora cuyo poemario contiene los primeros poemas que escribió.

f. Es la autora cuyas obras son dramas.

🔊
5-7

5.32 **La clase de literatura** Lee las oraciones sobre algunos estudiantes de literatura. Después, escucha sus comentarios y decide si las siguientes oraciones son lógicas o no.

1. lógico ilógico Lo que quiere leer es un libro didáctico.

2. lógico ilógico Lo que le interesa es aprender sobre la historia.

3. lógico ilógico Lo que no entiende es la poesía.

4. lógico ilógico Lo que le gusta es leer libros de ficción.

5. lógico ilógico Lo que le gustó fue una obra de teatro.

🔊
5-8

5.33 **¿De quién es?** Artemio y Dionisio son autores. Artemio prefiere escribir ciencia ficción mientras que a Dionisio le gusta escribir ficción histórica. Escucha sus comentarios sobre sus obras y decide quién escribió el libro.

1. a. Artemio   **b.** Dionisio

2. a. Artemio   **b.** Dionisio

3. a. Artemio   **b.** Dionisio

4. a. Artemio   **b.** Dionisio

5. a. Artemio   **b.** Dionisio

5.34 **Nuestras clases** Escucha la conversación entre Julián y Clarisa y escoge la respuesta correcta para las siguientes preguntas.

5-9

1. ¿Cómo es la clase de Julián?

   a. interesante   **b.** difícil

2. ¿Quién ayuda más?

   a. el profesor de Clarisa   **b.** la profesora de Julián

3. ¿Quién es el autor favorito de Julián?

   a. Manuel Puig   **b.** Carlos Fuentes

4. ¿Cuándo tiene un examen Julián?

   a. el viernes   **b.** el lunes

5. ¿Qué necesita Julián?

   a. ayudar a Clarisa   **b.** la ayuda de Clarisa

Redacción

A narrative tells a story and has three components: the introduction (sets the stage), the climax (the high point of the story), and the conclusion. Write a short narrative about a real or imagined incident from your life.

Paso 1 Think of something interesting or unusual that happened to you or someone you know. On a separate piece of paper, note the details of the story: the characters, the setting, what led up to the incident, and how it ended. You might want to use a mind map to organize your thoughts.

Paso 2 Using the information you generated in **Paso 1,** write your initial paragraph in which you set the scene and introduce the characters. Then, narrate the events of the story and write the conclusion.

Paso 3 Edit your narrative:

   1. Is your narrative clearly organized?

   2. Did you narrate the events in detail? Are there unnecessary details you can eliminate?

   3. Did you combine short sentences using relative pronouns (**que, quien,** etc.)?

   4. Did you use the past tenses (preterite, imperfect, past perfect, imperfect subjunctive) appropriately?

   5. Did you check verb and adjective agreement and spelling?